JN097643

地球人のための超科学入門

——光の存在が語る
知られざる宇宙科学の原理

筑波大学名誉教授
板野 肯三

アセンド・ラピス

はじめに

本書は、私の「地球人のための超入門シリーズ」の第二作目である。

前作の「地球人のための超植物入門」では、主に植物やエコロジーをテーマとしていたが、本書はかなりスピリチュアルな内容になっており、読者の皆さんの中には、戸惑われる方もおられるかもしれない。

私が本格的にスピリチュアルな世界に入っていくきっかけの一つが、Aさんとの出会いだった。

Aさんは女性で、アカシックが読めるチャネラーでもあった。それだけではなくて、私とAさんの間には深い縁があることがやがて分かってくる。そしてAさんは私が出会ってから7年目に亡くなった。

私はAさんから、その7年間にいろいろなことを教えられた。ちょうど、相似象学会《そうじしょう》の二代目の宇野多美恵《うのたみえ》さんが、初代の楢崎皐月《ならさきこうげつ》さんから、カタカムナの奥義を伝授されたのと同じようなものである。この間に、私も霊的にある程度は覚醒し、Aさんと霊的にコンタクトができるまでになっていた。

今回の人生の中での付き合いは7年ほどであったが、実はその前がある。この文明の中での出会いがあったかどうかは分からない。お互い忙しかったようでもある。

私にとって驚きだったのは、前回の出会いはアトランティス時代だということだろう。この時は、彼女はアトランティス末期の王朝の最後の王女だった。

私と彼女は仲が良かったようで、最期に、大陸が沈むのを仲間と共に目の前にすることになる。

私は当時17歳で、彼女は19歳だったと言われた。まあだからその時の人生としては、所期の目的を果たせずに死んだことになる。

そしてもちろんそれよりも前もある。地球にやって来た時は、彼女たちと同じ星から宇宙船に乗って来たというのだ。私は植物が専門だったようである。

Aさんに出会ってから起こったことは、単に情報が手に入ったというだけではなかった。もっとすごいことが起こった。

私の認識力が多少なりとも上がり、私自身の霊的な力も開けてきたからだ。だから宇野さんが楢崎さんとのことを実験と呼んでいた意味はよく分かる。私自身が、それまでとは別の人間になっていたのかもしれない。カタカムナで言う「共振」現象と同じことが起きていたのだろう。

Aさんが亡くなってから3年くらいしたある日、Aさんがやって来た。もちろん、霊的にである。そして言われた。「何をやっているの。早く本を書きなさい。間に合わなくなるわよ」と。それで私は本を書き始めた。やっと最初の本を出版できたのは2018年のことだった。

Aさんを通して私が受け取った情報は、もっとずっと多かったが、当時は、全てを明かすことができなかった。

その後、数年かけて、霊性に裏付けられた科学こそがあるべき科学であるという私の主張を表現するために、百冊を超える本を書いた。その間、徐々に、世の中の風向きも変わってきたように思う。

実のところ、このような内容の本を書くだけの資格が私にはとてもありそうな気がしないし、勇気も持ち合わせていないのだが、私にこの内容を出すようにとの強い思いがずっと伝わって来ており、清水の舞台から飛び降りることにしたのである。

筑波大学名誉教授

板野　肯三

地球人のための超科学入門

——光の存在が語る知られざる宇宙科学の原理

目次

第1章

科学への超越主義的なアプローチ

——宇宙レベルの科学を理解する補助線

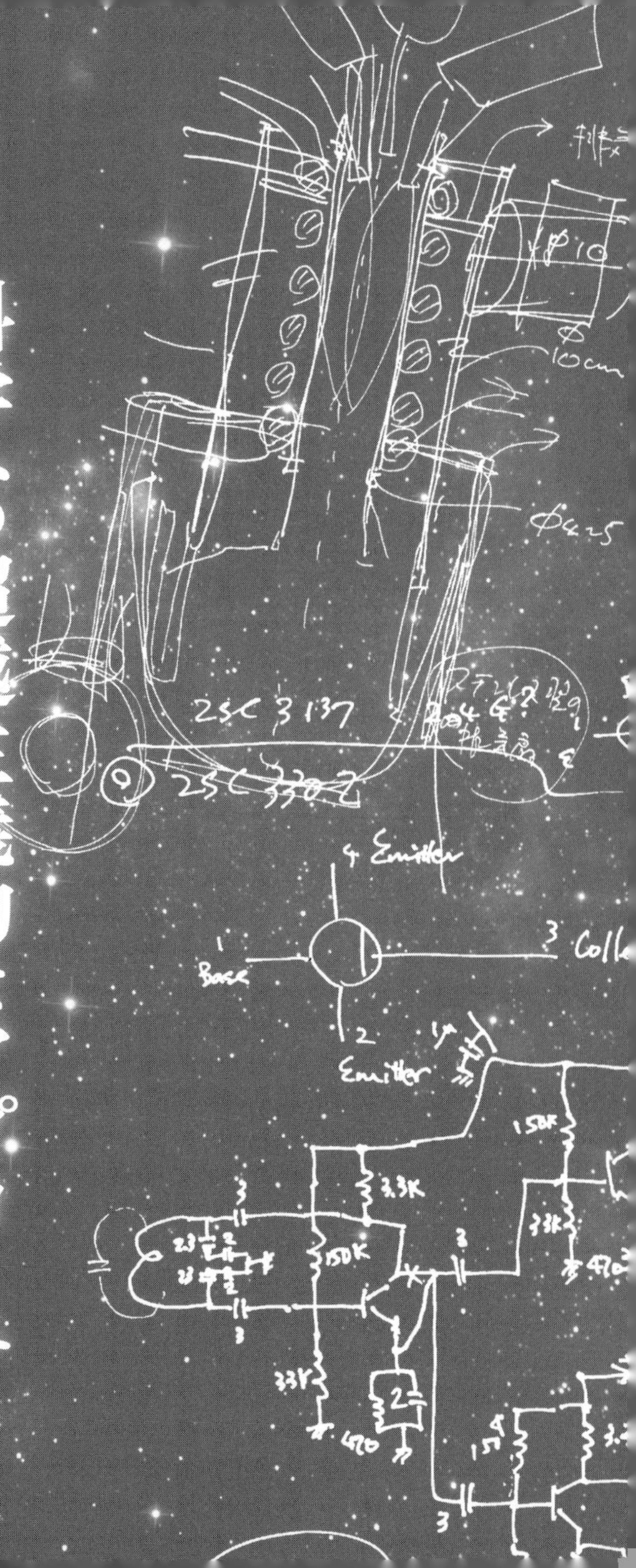

霊性の目覚めの時代に科学が扱う世界は、現代の科学が扱う世界よりも、はるかに広い視野に立つことになる。

かつてエマーソンが語り、ソローが実践した、超越主義（超絶主義ともいう）的な世界観を、科学の領域に展開する試みといってもいいかもしれない。

1　宇宙の摂理の中にある科学的認識

この本を通して、読者の皆さんに、科学的認識というものをお伝えしたいと思う。これは宇宙レベルの科学にアプローチする基本的な認識の枠組みでもある。そして、宇宙レベルの科学は、霊性の目覚めを前提とする。

これまでの地球の文明の中では、人間の心を対象にした宗教的な世界観と、物質世界を対象にした科学的な世界観が対立していたが、宇宙レベルの文明の中ではこういう対立はない。あるのは、哲学的認識と科学的な認識という2つの認識の枠組みだ。これは、根源的な神の摂理であるとか、宇宙の摂理というものを、別の角度から捉《とら》えようとするものである。だから、宇宙的なレベルのマスターであるような存在たちは、当然のことながら、この二つの認識を自らのうちに持っている。

地球の言葉で分かりやすく言い換えれば、宗教と科学の本質を一つの対象として語るということである。これは、私がこれまでに「科学を超えて」という本の中で言いたかったことでもある。

今の科学的世界観においては、物だけを見るが、実は、それは物というだけではなくて、霊的な実体でもあるということだ。物質的世界と霊的な世界が完全にオーバーラップしている。次元として異なる世界が同居しているということもあるが、物質とか生命とかの実在には、物質的なものと霊的なものがセットになっている。それがこの物質世界の実相である。

このような世界観は、アメリカのニューソートに多大な影響を与えた「超越主義」という哲学に見られる。超越主義は、エマーソンが唱え、ソローが実践したスピリチュアルな啓蒙運動だ。この二人の名前は、アメリカ人で知らない者はいない。

エマーソンの最も有名なエッセイは「自然（ネイチャ）」というが、彼は、自然の奥に霊的な実体が重なっているのを看破した。この目に見える物質世界だけに留まるのではなくて、そこにある霊的な実在へと向かっていかないといけないと言ったのである。そして、それこそが「超越（トランスデンタル）」の意味なのだ。これを科学に当てはめると「超越科学」になるのかもしれない。あるいは、霊性の目覚めを前提にした「霊性の科学」だ。

ただここでは、あえて「超越科学」とは言わないことにする。それは、「超越科学」という科学の分野があるわけではないからだ。超越しなくてはならないのは、科学の認識であり、この新しい認識というのは「目覚め」を意味している。

新しい時代の科学を何と呼べばいいかというと、それは「真の科学」と言うべきかもしれない。まあ、中味を理解しないで、言葉をもてあそんでも意味がない。

ここで哲学的認識という概念が、科学的認識と対で存在するが、これは宗教的な認識につながるもので、実は、科学だけではなくて、宗教の枠組みをも変えなくてはならない時期に来ている。古くは、宗教と科学というような概念で議論していたことを、根本から変えなくてはならず、その土台になるのが、哲学的認識と科学的認識なのだ。エマーソンの超越主義は、この宗教的認識の土台をアップグレードするための概念なのである。

そこで、本書においても、宗教と科学の本質を一つの対象として語ることになる。

まず、この第一章では、本書全体の導入的な話をする。

第二章では、これから数十年の間に起こるかもしれない、地球の物質世界の変化について紹介する。これは、巷《ちまた》ではアセンション（次元上昇）と呼ばれているが、これは起こるかもしれないし、起こらないかもしれない。困ったことに、スピリチュアルなコミュニティーの中でしか知られておらず、一般の人の知るところとはなっていない。これは絵空事ではないので、そろそろ多くの人にこのことを共有して欲しいという思いがあって、ここでは取りあげてみた。

第三章は、一転して、これまで人類に正面切っては語られてこなかった地球霊団の真実を明かすという大胆な話になっている。これは、宇宙全体の中での地球の位置付けの話でもあり、なぜ地球が創られたのかという話でもあるので、ものすごく大きなテーマなのだが、これが理解できると、「霊性の目覚め」の意味が分かってくるのではないかと思う。

第四章は、私がこれまでに触れた、宇宙の中のある意味で仲間たちからのメッセージを紹介している。こういうことがあり得るということに、なかなかついてこれないところがあるかもしれないが、私自身、今のような心境になるまでには、長い年月がかかっている。そして、これは、宇宙的なビジョンを持つうえでの参考になる話となるだろう。

第五章では、私たちが地球人として、何を求められているのかということに触れてみた。地球人としてのアイデンティティを持てるかどうかというところに差し掛かっているということである。このまま滅びてしまうのか、真実に目覚めるのか、それを問われているのである。

2　もうすぐ宇宙時代を迎える地球

地球霊団の真実は隠されてきた

スピリチュアルなことに関心のある人であれば、ＵＦＯを見たことがある人もいるかもしれないし、宇宙人からのメッセージに共鳴する人も多いだろう。そういうスピリチュアル好きの人でも、実は案外知らないのが、地球のことではないだろうか。

いろいろな方が、いろいろな宇宙存在とチャネリングをしているので、宇宙的な情報が断片的に出てきてはいるが、必ずしも全体像は明らかではない。

宇宙的な存在からのメッセージには接することができるが、地球の中にいる、宇宙人と同等以上の存在からのメッセージには接したことがなかったりする。そうすると、スピリチュアルな世界観が非常に限られたものになり、一番大事なことについての知識がないということになってしまう。

たとえばバシャールのメッセージは、銀河系の中のオリオン座の近くにあるエササニという星の宇宙人から地球に送られてきているものだが、では、地球にはバシャールに相当するような高次元の存在はいないのだろうか？

厳密にいうと、エササニ星人は、すでにアセンションしていて、肉体に宿った状態のままで、複数の人の意識を統合して「統合意識」を創り出して、個々の意識だけではできないようなことをやっている。

地球では、これと同じことはまだできないのだが、地球にも肉体に宿っていない意識体は存在するし、その中でも力のある存在が持っている意識は、ある意味ではバシャールを凌《しの》いでいると言ってもいいかもしれない。

地球ではまだアセンションはできていないと言ったが、実は地球にもアセンションを果たしている地域が部分的に存在しているので、その地域にいる人間が力を合わせれば、バシャールと同じようなことができなくはない。

だが、なぜバシャールが注目されるのかというと、これは「宇宙的な意識が地球人に語りかけている」というシチュエーションが、地球人に与えるドラマ性があって、こういう構図が選択されているということもある。

地球霊団のレベルが低くて、地球系の高次元存在ではバシャールのようなことは話せないかというとそんなことはない。しかし地球系ではこれまで連綿と続けてきた方針があって、地球霊団の目指していることは今現在も貫かれているということがある。

そういう中で、バシャールたちのような宇宙系のマスターにお願いして、地球の外から刺激を与えてもらっているだけだ。

宇宙的な視野で地球を俯瞰《ふかん》して見る

分かっている人は分かっているが、分かっていない人は分かっていない大事なこととして、目に見えない世界がどうなっているのかということについての知識がある。人類は、この部分についても最低限のことを知っておく必要がある段階に入ってきていると思っている。

霊的な世界があるのは当たり前だが、宇宙には多くの進んだ文明を持つ宇宙人が存在していて、国際連合ならぬ「宇宙連合」という組織まである。そして地球はまだ未開な星であるために、宇宙連合に参加するには至っていない。もちろんこれは地球の物質世界の文明としてという意味だ。

地球という星が大宇宙の中でどういう位置づけにあるのかとか、宇宙連合との関係はどうなっているのかとか、今の地球を指導しているのは地球の霊的世界に存在する地球霊団のリーダーたちなのだとか、こういう話を聞いたことがある人は、これまでほとんどいなかったのではないかと思う。

地球霊団のリーダーたちは、今、地球霊界の中にいて、物質世界の文明を直接指導してはいない。こういうリーダーは、物質世界のほうに時々生まれてきて、文明の方向付けをするような生き方をしている。

彼らの多くは、宗教的な指導者としての生涯を過ごし、物質世界で生きている人に霊性に目覚めるという意味での影響を与えはするが、物質世界の文明を完全にコントロールするというようなやり方はしていない。まあ言ってみれば間接的指導体制を取ってきている。

そして、宇宙連合への責任は、地球霊界にいるこの地球霊団のリーダーたちが負っている。

そして宇宙連合の会議には彼らが出席している。もちろん宇宙連合からの連絡役だったり、監視役だったりするような方が地球にはやって来ていて、地球全体が宇宙連合の指導下にある。

こういう中で、今地球はアセンションができるかできないかという段階を迎え、その分水嶺《ぶんすいれい》にいる。だから当然、宇宙中から注目をされているということだ。

アセンションに挑戦する地球人

地球には、既にアセンションしている世界がある。もちろん、地球全域がアセンションしているわけではない。ごく一部がアセンションした状態になっている。

厳密に言うと、そこは物質世界であって、霊的世界というわけではない。物質世界の高次元バージョンのような世界だ。

これはヒマラヤの地下と、アメリカのシャスタ山の地下にある。地下と言っても、地下の洞窟の中にあるわけではなくて、そこは今の地球の物質世界と存在の様式が違うために、別の次元の空間になっていて、今の地球の物質とは相互作用を起こさない空間として創られている。

簡単に言うと、目に見えず、触れることもできず、したがって、地下を掘ってみても、そこには何も見つからない。今の世界から見ると、物質的に見て存在しないということだ。

ここにいるのは、当時の超古代文明の末期にアセンションを果たした人たちである。彼らが肉体を持って住んでいる。

ここは霊界ではなくて、あくまで物質世界なので、もちろん、このアセンションした世界では、肉体の寿命は存在し、寿命が尽きれば死んであの世に帰っていき、そこから、その世界にまた生まれていくことになる。そういう世界が、既に、地球には存在している。

そもそもなぜこういう世界が創られるようになったかというと、これは今はなき超古代文明、レムリア文明とかアトランティス文明の時に、人々の出す悪想念が原因で文明自体は崩壊した。だがここに住んでいた人の全てが霊性が低かったかというとそういうわけではなくて、一定の段階以上の心境に至った人たちがいた。

地球はこれらの文明の時に、すでにアセンションの一歩手前まで行っていたために、アセンションの準備がされていた。一部の者たちは霊的に目覚めていて、次の段階に進んでいける状態にあった。だからそういう人たちを収容する空間が地球上に創られたのだ。

私たちの地球の主たる空間をアセンションさせると、地球の物質世界はこの地下世界と同じ第二モードに移行することになる。地球意識は、もうすでにその準備を始めているが、地上の状態はと言うと、まだ準備が整っていない。それはなぜかというと、前にも言ったが、地球に生きている人類の大多数が「目覚めていない」からだ。目覚めていないどころか、逆の方向に行ってしまっている。今ほど人類がこの世には「物」しかないと思っている時代はないだろう。

過去の文明が崩壊《ほうかい》したわけ

実は、アトランティス時代には、霊能力と科学を統合した非常に高度な文明を私たちは持っていた。だから、もちろん霊的には今よりもっと自由度があった。エネルギーの問題も解決されていて、今でいうフリーエネルギーを手に入れていた。反重力も使えたので、今から考えると夢のような文明だった。それがなぜ滅びてしまったのか？

それは、当時のアトランティスの支配層が、霊能力や科学を自己顕示欲のために使い始めたからだ。物質的なものは全て手に入れていたので、あと残っているのは神のような地位を手に入れることだった。その驕《おご》りと支配欲のために、霊能力と科学の力を使い始めたのである。それで自滅してしまった。

その前のレムリアの頃はどうだったかというと、これはアトランティス文明とは方向性がかなり違うが、同じく非常に進んだ文明だった。シュタイナーのアカシック・レコードにも書かれているが、中心部の神殿エリアと呼ばれるところには、宇宙の叡智《えいち》と言われるものが存在していた。

当時は、非常に進んだスピリットがこの中心部を指導していて、人類の一部は非常に高いレベルまで行っていた。建物とか構造物を作る際は工作機械は使わないで霊能力で成型ができた。

これは男の役割だったが、女性はハイスピリットにつながって高次の存在のメッセージを仲間たちに伝えた。だから神官は女性だったし、全体に女性の地位が高い文明だった。宇宙人とのオープンコンタクトも開けている時代だったようである。

だが、最後は、他のエリアを支配しようとする者たちが現れて、その反作用で文明が滅んでしまった。この文明にもアセンションに必要な叡智は全て存在していたので、積極的に失敗する要因はなかったのだが、それでも滅んでしまったのである。

結局のところ、レムリアにしても、その後のムーにしても、アトランティスにしても、何が問題だったのかというと、愛の部分が欠けていたということだろう。力がある者たちに、どこまでも自分が満足するために欲望を追求しようとする思いが強すぎたということだ。

「自分が満足するためには他人はどうなってもよい」という思いがあると、力が手に入った後に、この部分が現れてくることになる。こういう思いというのは、人間の本能に根差す「自我」に根があり、これが「自我」の中にないと、この厳しい物質世界を生き延びられないということもあるが、これをどう超えて精神性のレベルを上げて行けるかが問われている。

そして、アセンションした先の世界というのは、ここを卒業した人たちが行く世界なのだ。

地球は特別な星

スピリチュアルなコミュニティの中においても、一般にはあまり知られていないことだが、地球という星は、大宇宙の中で特別な役割を持っている。

地球の文明は、宇宙的な視野で見ると、一見とても原始的で、大宇宙の中の多くの進んだ星々とは比べようもない、取るに足りないような星に見えるかもしれない。

しかし、その実、この星の役割というのは、とんでもなく重要で、それらの進んだ宇宙人たちにとっても、一度は行ってみたいと思う、羨望《せんぼう》の的《まと》のような星なのである。

なぜかというと、地球には、宇宙のどの星にも無いものがあるからだ。

一見、原始的ではあるが、多くの星からやってきた様々な人類が、それまでに持っていた高度なものを剥《は》ぎ取って、裸一貫で、もみくちゃにされながら、赤裸々な自分をさらけ出しながら生きることで、そこから出てくる新たなエネルギーを手に入れようとしている。こういう環境設定をしているのが地球なのだ。

地球はこれからアセンションをしようとしているけれども、実は、これまでのアセンションをする前の地球というものも、宇宙的なスケールで考えると、非常に重要な意味を持っている。

苦しみにも積極的な意味がある

アセンションする前の、今の地球の状態にも意味があると言ったら、皆さんは驚かれるだろうか？　今の世界というのは、物質世界としては粗く重いところがあって、霊的な見方をすると、何ごとをするにも反応が現れにくい、非常に重たるい世界だ。

抵抗が大きく、せっかく何かを表現しても、すぐに崩れてばらばらになってしまうような世界である。砂漠に石を積んでいるようなところがあり、物事を崩壊させる力が強く働いていると言ってもいいかもしれない。だから、こういう世界に生きる生き物の寿命は短く、老化が起こりやすい。不老長寿とは反対のことが起こる。

だが考え直してみると、これがスタート地点なのだ。何も前提がないところからスタートしたいなら、こういう世界から始めるしかない。それに、この大宇宙の様相を知らない私たちには想像しえないことがある。それは人間の魂というものもどんどん進化していくと、霊的な世界でも物質的な世界でも非常に便利になり、愛と調和に満ちて、乗り越えないといけないような荒々しさは消えてしまう。どんなものでも簡単に手に入ってしまう。

心の中で思っただけで何でも実現するような世界にいたら、あなたは何を感じるだろうか？こういう世界には克服しなくてはならないフロンティアも少ない。そうすると進化の停滞が起こってくる。飽きてくるのだ。

分かりやすく言えば、こういう状況を打開するために用意されたバトルフィールドが地球であるということである。

生の生命に触れる醍醐味

地球にやってくると、まさにゼロからのやり直しみたいなことができる。あらゆる便利なものを剥《は》ぎ取って、原点に回帰するということだ。物質的世界があまりに高度すぎると、生の自然に直に触れるというのは難しい。そして「生《なま》の生命」に触《ふ》れなければ生命の醍醐味は経験できない。地球が用意しているのは、まさにこの「生の生命」に触れることのできる自然の醍醐味なのだ。

地球が無事アセンションできれば、実は、地球は物理的な世界が二つあるデュアルモードの星に移行するという計画がある。現在の地上と同じ波動の物理世界と、それよりも少し精妙な波動の物理世界の二つだ。そしてもちろんこの二つの世界のそれぞれに住んでいる人はお互いに接触がなく、相手の存在を知らないで生きることになる。閉じた世界が、そこに二つあるような形態だ。そして、この地球は、宇宙全体に新たなエネルギーを供給していく「源の星」のような役割を果たしていくことになる。

これは、「並行宇宙」とはまた違う概念だ。並行宇宙というのは、重大な選択がされるか否かで、存在自体が時空の中で分岐していくようなもので、普通は、並行宇宙の両方に、私たちが存在している。

人類に必要な霊性の目覚め

一部のスピリチュアル系の情報で伝えられるように、何もしないでアセンションが起こるということではない。地球にいる人類の目覚めが前提であり、人類の意識が変わる結果として物理世界が変化する。だから、地球とともに人類が進化したければ、今しなければいけないことは、地球で生きている多くの人たちに目覚めてもらうことだ。

目覚めとはどういうことか。

これは決して難しいことを言っているわけではなくて、目覚めの第一段階は、私が前から言っている、

『目に見えないからといって、それがないとは言えない』

ということを分かってもらうということだ。

目に見えない世界の実在性を信じるというレベルではなくて、それが確かにあることを分かってもらうということだ。

そしてもう一つ加えるとしたら、私たちが今生きて存在できているのは、自分の力だけで存

在しているのではなくて、生かされているということを知ることだ。

そうすれば、今この世界に存在できていることに、感謝の思いが沸いてくるだろう。私たちの存在が、死んだら消えてしまうようなものではなくて、永遠の存在である魂なのだということが分かれば、死というものの恐怖を感じることもなくなるだろう。そういう認識に至ることが、アセンションの前に必要だ。

これこそが、第一段階の目覚めなのだ。これは、当たり前のようであって当たり前ではない。というのは、私たちの目は、今霊的には封じられているので、霊的な実像が目に見えない状況にある。そういう状況の中で、こういう霊的な認識を持てるかどうかを問われている。初めからこういう目が開けていれば、逆にこれが目覚めということの試しにはならない。

母星に戻る人たち

そしてもちろん、目覚めには、いろいろな段階がある。地球がアセンションした次の段階において の目覚めとして、もしここで地球を卒業して旅立つ人たちがいるとしたら、その人たちが得なくてはいけない目覚めもある。

それは、何のために地球にやって来たのかを思い出すことだ。その人たちは、自らの目的が成就されているかどうかを、自分自身に問わないといけないだろう。

こういうことの対象になっている方というのは、遠い昔にこの星に非常に進んでいる文明の星からやって来た人たちだ。

その星では、当然のこととしてアセンションは達成されていた。今これから地球が目指す段階より、はるかに高いところまでアセンションがされていた星も多くある。そういう星から、わざわざこの地球にやって来た方々なのだ。そして、かなりの数の方たちは、そろそろ元の母星に帰らないといけないタイミングが迫りつつある。

急にこういうことを言われても困るかもしれないが、これはこれで、切羽詰まった話であって、地球がアセンションできるかどうかも大変なことだが、地球に来た目標を果たしているのかと問われて、イエスと答えられる自信がある人が果たしてどれだけいるだろうか。だからこそ、今自らに問わなくてはならない。

この惑星で、魂の学びをする機会を与えられたことについて、地球意識のガイアに深い感謝が表わせる自分であるかどうかということをである。

大宇宙のレベルアップ

私たちが今やっていることは、本来の力からすると、とんでもなく不自由な世界に投げ込まれているようなところがあって、そこで何も分からなくなって、もがいているようなものだ。

そして、そういう状態で、この本で伝えているような、霊的な真実に目覚めることができるかどうか、という試験を受けているようなところがある。

そういう状態で、霊性に目覚める力が身につくという、その変化が大事なのだ。それが、自らの判断と力でできるようになることに意味がある。

地球でのこの目覚めのプロセスが、魂の中に永遠に刻まれる大事な力となる。一人ひとりのこの経験が、実は宇宙の中での多くの人類の進化を促すエネルギーにつながっていく。なぜなら、それこそが、宇宙の中において、今まで足りていなかったものを補うような力であるからだ。

第2章

地球は次元上昇《アセンション》する

――近未来に起こる物質世界の変化

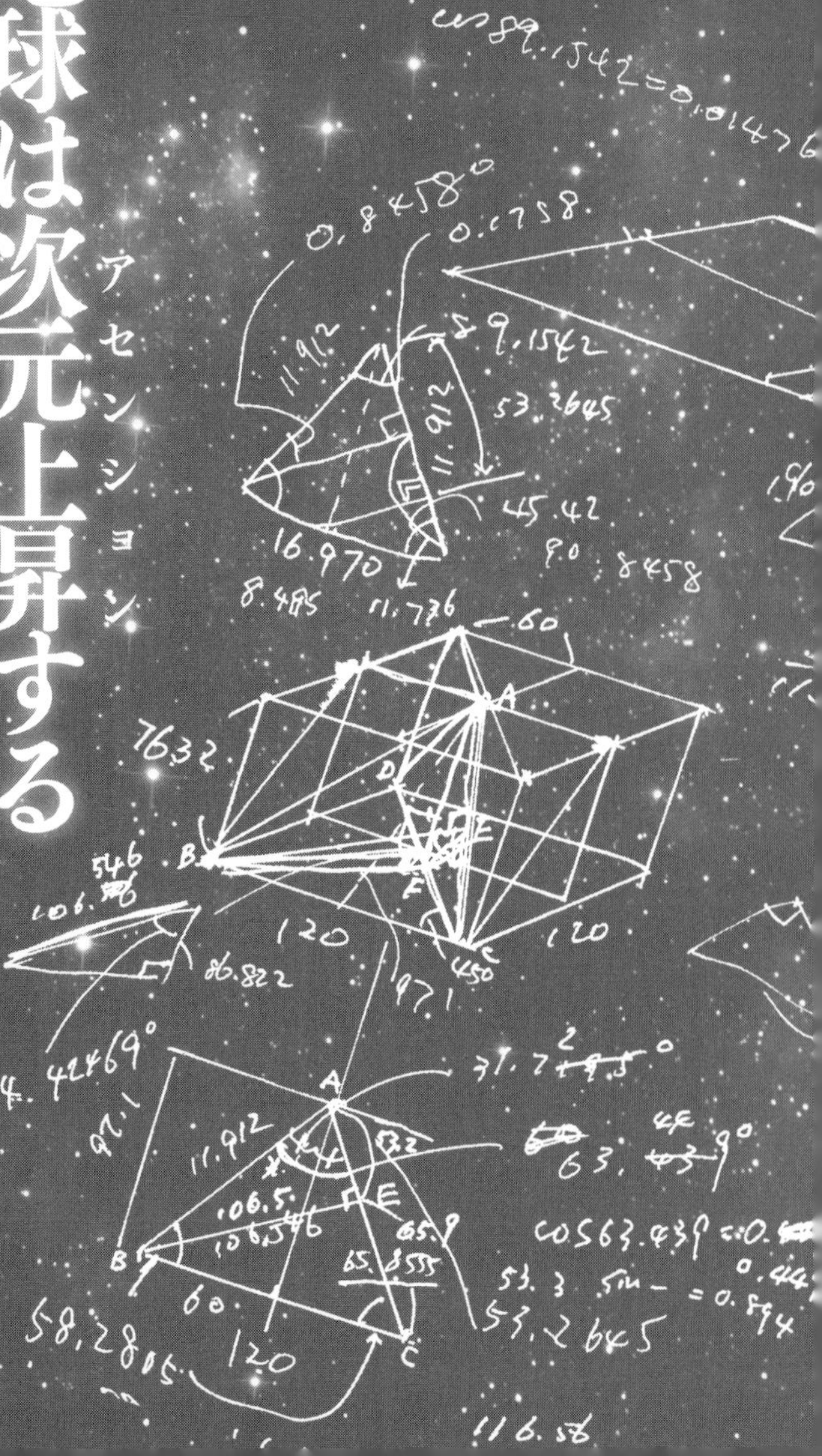

近未来の科学の原理は、霊界の科学者から伝えられているが、宇宙船を飛ばす技術が実際にどういうものかは、私にもわからない。

それはアセンション後の地球で発展する科学であり、アセンションはまだ起きていないからだ。

「アセンション」とは、一言で言えば、蛹が蝶になるように、人類の存在の表現が変化することである。

1　個人のアセンションと星のアセンション

アセンションという言葉

現在のスピリチュアルな世界で一般に言われるアセンションという概念には混乱があり、個人の認識が宇宙レベルの認識に変化することを指して言うことが多い。しかし、アセンションというのは、本当は物質世界の存在のあり方が変化することを言う。だから、本書では、個人の認識の変化と、物質世界の存在のあり方の変化を区別して、後者のことをアセンションと呼ぶ。

星のアセンションと、個人のアセンションは、主体が異なるだけではなくて、その難易度も異なる。できるかどうかというだけでなく、やっていいかどうかということもある。

個人のアセンションなら、その人だけの問題であるが、星としてのアセンションということになると、膨大なエネルギーが必要であるばかりでなく、この変成のための特殊なエネルギーも必要になる。

一番難しいのは、何度も言っているように、その星に住んでいる人類の目覚めの度合いが問題となるところだ。目覚めというのは、認識における、霊的な目覚めを言う。目に見えているものだけではなくて、目に見えない世界に対して覚醒していて、自らの存在の意味をはっきりと自覚できていないといけない。

別の言葉で言うと、自らを「愛の存在」として自覚できているかどうかということになるだろう。

一つの星の上に生きる人類の、そういう意味での準備が整った時に、星としてのアセンションをすることができるようになる。

星のアセンションはいつでもはできない

そして、この星としてのアセンションというのは、好きな時にいつでもできるというわけではない。これは星としての物理的な「物質としての体」の変成を伴うがゆえに大変なのである。星としての体の質を変えるのは、それをゼロから創り出すのに匹敵する力が必要となる。

実は、私たちの宇宙全体が持っている変成のリズムというものがある。数万年くらいの周期で、これがやりやすいような時期が周期的にやってくる。大宇宙の意志が働く時期と言っても良い。今が「水瓶座の時代」であると言われているのは、このことに関係している。

アセンションをするかしないかを決めるのは、地球の場合であれば、いうまでもなく地球意識自体だ。地球意識が自らその決心をしなければ、アセンションはスタートしない。

実は、今という時期は、アセンションをするための条件のいくつかは整っている。私たちの星に足りないものがあるとすれば、それは地球上に生きている人類の目覚めだけだと言ってもいいかもしれない。これはしかしクリアするのが最も難しい条件である可能性がある。というのは、人間には自由意志が与えられていて、目覚めるかどうかは本人たちの問題だからである。多くの人が、今は霊性を忘れてしまい、物質が全てであるかのような世界観の中に閉じこもっている。

これと全く無関係ではないのだが、20世紀になって以降、多くの人の心から愛が消え、エゴの思いが増幅して、不調和な想念が地球を覆い、結果として、地球意識自体を傷つけてしまっている。

地球は、まさに満身創痍《まんしんそうい》のような状態にある。異常気象が起こるのは、温暖化のためというより、こういう事情のほうが効いている可能性がある。

環境問題にしても、食料の問題にしても、エネルギー問題にしても、戦争にしても、地球人は、どちらかというと自滅に向かって走っていると考えざるをえない状況になっている。

星としてのアセンションの鍵を握るのは、今の時代を生きている人類の「霊性の目覚め」だと言ったが、それは「悟り」であると言い換えてもいいだろう。霊的な存在としての自己を正しく認識することができるかどうかが、人類全体で問われている。

これは、人類全体で、認識力のレベルアップを果たせるかどうかということであって、個人的に何か普通でないことができるかどうかではない。この認識自体が宇宙との一体感につながっていくということであり、それが星としてのアセンションの必要条件になる。

個人的にならどこにでも行ける

逆に言うと、一人でやることは星全体でやるということに比べたら、難易度は高くはないと言えるかもしれない。

実のところ、今の文明の中には何も痕跡《こんせき》が残っていないが、現文明の直前に非常に発達した文明があった。スピリチュアルなコミュニティでは名前が出ている、レムリアとかアトランティスとかがそれである。

不幸にして、これらの文明は自滅して滅んでしまったが、全員が間違ってしまったのではなくて、正しい認識を持って生きていて、あるレベルにまで達した人たちもいたのである。

そして、どうなったかというと、そういう人たちを収容するために、地球上にアセンションした空間を部分的に創って、そこに収容したことがかつてあった。

こういう空間が、ヒマラヤやシャスタの下に存在している。こういう空間は、物質世界ではあるが、その精妙さが一段違っている空間で、実は、今地球で目指しているアセンションを先行して実現したところでもある。

この空間は、今私たちがいる世界からは目に見えず、干渉ができない世界であり、それを見るためには私たちが個人的にアセンションするしかない。そうすればこの世界に入ることは不可能ではない。

まるでSFのように聞こえるかもしれないが、今の太陽系の中には、こういう別次元の物質世界は、いろいろなところに存在している。そういう世界を持った惑星もある。

自分の認識力のレベル以上のところにはいけない

地球という星だけ取ってみても、このように波動の違う物質世界が一段階で存在しているが、この二つの世界の間を自由に行き来はできない。

これは並行宇宙とは違って、同じ時空の中に共存している世界であり、地球が二つの物質世界を持っているということだ。ここでは生きる人の意識の段階が分けられている。

この世界は、一定以上の目覚めに至っている人が、自分の波動を変えて、その世界に再投影した時に、境界を通過して行ける世界であるということである。「投影」については、後ほど

4章で述べる。

行けるか行けないかということではなくて、行くか行かないかという問題なのかもしれない。

こういう話は不毛のような気もするが、「原理的には行ける」ということと「実際に行ける」ということとの間には大きなギャップがある。というのは、この「行く」時に必要な力は、思念によって投影を制御する力であって、この力が今は「封印」されているからだ。そして、アセンションが果たされた時には封印が解かれて、この力が蘇《よみがえ》ってくる。

封印されているのはこの力だけではなくて、それ以外にも多くの霊能力が、今は封印されている。だから、今は、本当はできるはずのことができない時代でもあるということを理解しておかなくてはならないだろう。

2 人類の進化の度合いに応じて変化する物質世界

アセンションは物質世界のモードチェンジ

アセンションというのは、この物質世界の存在のモードが変化することで、これは、第一段階、第二段階のように何段階もある。

今回地球で計画されているのは、第一段階目のアセンション、すなわち最も低い波動の状態から、少し波動の高い状態への変成だ。

物質的な世界が、霊的な世界になってしまうというようなことではないし、物質世界が物質世界でも霊的世界でもない世界に変わってしまうということでもない。物質世界は、あくまで物質世界のままだ。

と言っても、もちろん、物質世界の様相は変化する。何が変化するのかというと、表現が軽やかになる。

この物質世界というのは、自然に、あるいは偶然に存在しているわけではない。この世界を表現している力が働いているから存在している。そして、アセンションすると、物質世界の在り方というのが軽妙になる。精妙になると言ってもいいかもしれない。粗《あら》さが少なくなる。その結果、この世界の中では表現することが楽になる。より少ないエネルギーで表現することが可能になる。

これは、あらゆる生き物にとって共通であり、重力が小さくなるというわけではないが、直感的な言葉で言うなら「軽やかに」なる。

一番大きな影響を受けるものの一つは寿命だろう。物質でできた体を維持したり展開したりするための「存在のエネルギー」が消耗しにくくなる。

今までの世界では、１００年の寿命しかなかったものが、２００年も３００年も生きられるようになる。人間の寿命が１０００歳以上生きることも不可能ではなくなるかもしれない。

植物にしても、１年で老化していた体が、数年間経っても、みずみずしいままでいることができるようになるだろう。

それと、人間の精神性の中から不必要なエゴが無くなっていって、食べ物や環境からも毒性のものが消えていくと、人間が病気になることもなくなる。体の機能の老化の速度も減るために、今までの状況と比べると、いつまでも若々しくいられるようになるだろう。

もっと言うと、これまではカルマというものがあったが、こういうものを魂の進化に使う段階は終わっていく。

物質世界のモードの各段階に応じてやれることが異なる

地球で目指しているアセンションは、第一段階目のものだが、このアセンションという惑星単位のイベントは、この先何段階もあり、宇宙的にみると、さらに上には上がある。地球がこれから迎えようとしているアセンションが、最後のアセンションというわけではなくて、アセンション自体は、これから先も何回も起こり得る。

それは、何によって決まるのかというと、人間の目覚めの度合いによって決まると言ってよいだろう。目覚めの度合いによって、学ばなくてはならないことが変わってくるということだ。

このアセンションの階梯《かいてい》は10段階以上あるようだ。

物質世界の精妙さの変化は、人間の進化の度合いに関係する。

精神性の成熟度が高い場合には、それに比例して物質世界が軽妙になっていく度合いが高まる。

これはしかし霊的な世界と物質的な世界のバランスということもあって、物質世界を軽妙にしすぎて、霊的な世界に近づけすぎると問題が起こるということもあり、このバランスが大事なのだ。

こういうことを言っても理解がしにくいかもしれないが、非常に高度な進化を遂げた宇宙レベルの文明であっても、そこに衰退の芽があることが知られていて、それは円熟した状況が長い間続くと、それがマンネリのような状況になってしまい、刺激を失ってしまって活力が失われてくるということがある。

これを打破するために、定期的に物質世界の中に生まれることで、刺激を受けるということも大事な要素としてあるということなのだ。

かつて高度に進化を果たした宇宙の中の種族の一つが、もう自分たちは肉体はいらない、精神的な存在としてのみの進化を目指していくということで、肉体を捨ててしまったことがあった。だがやがてその種族は衰退期に入ってしまったとのことである。

物質世界の肉体というものも、その世界を維持するためには、定期的に一定量の人類がその世界に生まれて行って維持しないといけないという面がある。そうしなければ、その肉体は世界から消えてしまう。一度失った肉体は、簡単には取り戻せない。

しかも自分たちに必要な物質世界は、原始的な世界からすると、何段階も上の世界かもしれず、そういうものは簡単には再生できない。

物質世界を創ったということ自体が、宇宙の摂理に沿っているという風に考えなくてはならないのかもしれない。

3　アセンションと多次元世界の変化

霊的世界の多次元性

霊的な世界は、一様な金太郎飴のような世界ではなくて、そこにいろいろな世界が同居している。同居していると言っても、その世界は完全に独立していて、お互いに干渉し合わないような世界だ。自分がある世界の中にいる時に、他の世界は見えないし、他の世界にいる人に干渉することはできない。

私たちが霊的な存在である時、どの世界にいるのかというと、その人の心境とか境涯というような、固有の思いのレベルに適合した世界にいる。

このいくつかある世界というのは、そこにいる人の心境に対応する世界であるために、これを次元が異なる世界であるとも見ることができる。異なる波動の次元世界が展開しているということである。

この世界がいくつ用意されているのかというと、これは、その星に存在する人類の意識レベルによって決まっていて、地球では7つある。どのくらいのレベルの世界からどのくらいのレベルの世界までを用意するのかは、その星の事情で決まるので、別の星にいくと、このバリエーションは違うことになる。そして、この霊的世界は、もちろん創られた世界だ。

これを科学的な言葉で表現するなら、私たちは自らの存在をいくつかある世界の中の一つに投影していると言ってもいいかもしれない。この時に何をするのかというと、自分自身の存在の波動を、自分が存在したい世界に同調させて、その世界に自分を映し出すのである。

原理的にはどの世界にでも映せるはずだが、この「同調」ができなければ映せない。同調ができるかどうかは、その人の魂の「目覚め」の度合いによって決まる。

自分を高い次元の領域に投影することは、ある意味で言うと、アセンションである。上の世界から下の世界に投影する時は、厳密にいうとディセンションというほうが正確だろう。

物質世界の次元性

物質世界はどうなっているかというと、ほんとうは、ここにも次元性がある。

地球の現在の物質世界の次元は、宇宙的な基準で言うと、一番低い段階に設定されている。

霊的世界におけると同じように、物質世界においても、そこに存在するものの波動と、その世界の波動は同じであって、だからその世界に存在できる。

ここに存在するものの構成要素は、今の科学では、素粒子という名前で知られている微細なエネルギー体であり、霊的な世界にいる時は、その世界のエネルギー体を使って形を表現するのだが、このきめ細かさが格段に違うというふうに考えることができるだろう。

ここで、今の科学では知られていないことをいくつか説明しなくてはならない。そうしなければ、先に進めない。

まず、この私たちが物質世界であると思っている世界というものも、実は物質だけの世界ではない。霊的な世界が同居している。

実際、私たちが死んだ後は、この世に同居している霊的世界の中に滞在している。だから、生きている人がそのまま見えるし、建物や部屋も見える。違うのは、干渉ができないことである。触れられないし、話しかけても通じない。だから滞在していると言うより浮遊していると言ったほうがいいかもしれない。

そもそも魂という霊的な存在が肉体の中に宿ることができるのも、物質世界というのは物質世界だけというわけではなくて、物質世界と低い波動の霊的世界が重なり合った世界であり、肉体がそういう物質世界のなかにいるからだ。

肉体に宿っている時に何が起きているのかは、非常に興味深いことであって、これは簡単には語り尽くせない。

物質とエーテル体

この物質世界の特性として、もう一つ挙げておかないといけないことは、物質世界と一体となっているエーテル体というエネルギー構造があるということだ。

荒っぽく言うと、物質とエーテルというエネルギー構造は一体であり、切っても切り離せないところがある。生命体の生命エネルギーはエーテルのほうから来ているし、エーテルが、物質の体を存在させ続ける力ともなっている。

エネルギー論的に説明すると、物質の体を存在させ続けるには、そのための力が働き続けていなくてはならないが、この力を持っているのがエーテル体なのだ。これが存在のエネルギーとなっている。生命体の場合は、この力は、その生命体の固有のものとして存在していて、これを使いながら生きている。

それ故に、肉体には寿命があるということになる。

魂のほうはどうかと言うと、これも霊的存在として自らを維持し続けるにはエネルギーが必要で、そのためのエネルギーを充電し続ける必要がある。

魂も肉体も、自らを特定の世界の中に映し出すということは、科学的に見ると、それは仕事をしているので、エネルギーを消費している。

体を映し出し続けるエネルギーは、充電不可能なエネルギー源を使っていて、魂のほうは、充電可能なエネルギーを使っている。だから、魂は永遠の存在であり、肉体は有限の存在なのである。

物質次元と波動

そして、今問題にしている物質世界の次元性について言うとすれば、地球の現状の物質世界の次元性というのは、最低段階にあるので、波動ということで言えば、非常に粗い波動をしている。精妙ではない。もちろん、生き物としての一定以上の精妙さを持ってはいるが、この粗さのために、体を存在させ続けるのに、非常に大きなエネルギーを消耗している。

地球の人間の寿命が100年足らずしかないのは、このためだ。もっと物質次元の精妙さが高い世界に住んでいると、寿命を長くするのは、そんなに難しいことではなくなる。

アセンションが行われると、この物質の存在の根本波動が上がり、その一つの結果として、寿命の設定を長くできるような選択肢が出てくる。

もちろん寿命が長ければ良いというような単純なものではない。寿命は、この世の人生の中で何を目指すのかということによって変わってくるからだ。何回もゼロから生まれて新しい人生を生きるということにも意味がある。

地球という惑星のアセンションとは、この物質世界の波動の次元を変えることを言う。

地球も私たち人間も、同じように魂を持った存在が肉体の中に宿っているのだという認識に立てば、人間の体をアセンションさせるということも、当然あり得ることだ。

4　アセンションとアマウツシ

カタカムナから見たアセンション

よくよく考えてみると、地球のアセンションは、カタカムナで言う「アマウツシ」そのものであると考えられる。

アマウツシというのが何かというのは、まずカタカムナの世界観を説明しないといけない。

カタカムナというのは、楢崎皐月氏に伝えられた日本の超古代の図象のパターンのセットで、彼がこれを解読したところ、ここから日本語の仮名文字が現れ、それればかりか古事記に現れる日本の神々の名前とか日本語として馴染《なじ》みのある言葉が多く浮かび上がってきた。

そして、このカタカムナの解読から現れた概念が「カム」とか「アマ」という言葉である。

どうもカタカムナというのは、目に見えない世界のことを表現しているようで、この宇宙の真理を表しているということが次第に明らかになってきた。この宇宙の創造に関わることを表現しているようなのだ。

「カ」というのが、全ての根源にあるもので、そこから出てきたものをカムと言い、その結果表現されているものが「カムナ」である。

これは全て目に見えない世界の中にあるもので、カタカムナの解釈では、この目に見えない世界を「潜象界《せんしょう》」と言い、目に見える世界を「現象界」という。

こういう概念は、楢崎氏がカタカムナの解釈として作った概念だ。そして、この目に見える世界、すなわち宇宙をアマといい、私たちの体や、あらゆる目に見える存在は、潜象の世界にある「カ」ないしカムが、いろいろな経過をたどって、このアマの現象界に現れていると見る。

厳密に言うと、アマには現象に現れているものだけではなくて潜象のものもあり、潜象のアマから現象のアマに現れるというような見方をする。そして、この潜象から現象に現れることをアマウツシという。

アセンションとは何であるかと言うと、これは物質世界の表現が変わることであるから、アマウツシだと考えれば整合性がとれる。

今の地球の表現もアセンションの一つとしてあり、新しい表現をとるということであれば、それもアセンションであると考えればよい。

星ごとのアマウツシ

星というのも人間や他の動植物と同じように生き物であると考えるなら、星としてのアマウツシがあってもおかしくはないし、全体のアマウツシという概念が宇宙的なものであると考えるなら、むしろ、そういう風に考えるほうが一貫性があるだろう。

カタカムナの中では、こういうアマウツシのようなことは「フトマニ」という、宇宙の創造原理の作用が働いて起こると考える。そして、これはそもそも星というものがどういう風に生まれるのかということと関わっているということだろう。

フトマニについて簡単にいうと、新たな創造、つまり目に見える世界の変化が起きるには、対抗する四つの力が釣り合う「四相《しそう》の重合」が必要であるとされる。

星の物質体の基本の表現形を変えるとなると、一つ考えられるのは、カタカムナで言われている「カム・アマの重合」というものが必要になるのではないかと思われる。

カム・アマの重合というのは、星の場合で言うと、星の魂や意識体と、体である物質体が完全に重なり合って、その隅々にまで「ミクマリ」の生命エネルギーが及んでいる時に起こるのではないかと考える。

言葉の意味がわからないと思うので、ミクマリについても、少し説明しておく。

カタカムナでは、フトマニという何かが単独で働いて、全くの無から有が創造されるというような、機械論的な話にはなっていない。「マノスベ」の状態で生きている時に「ミクマリ」の力が働いて、存在の状態に変化が起きるというのが創造の原理で、これをフトマニという。

マノスベの状態というのは、宇宙の創造の時から終わりの時までを視野に入れた生命全体の生起のこと、あるいは自然な流れのことだ。「当たり前のことが、当たり前に起こり、当たり前に過ぎていく」ことが大宇宙の真実であるという。

要するに、全ての存在は、宇宙と一つに溶け込んだ自覚と一体感の中で、その一部として物質界での表現をしているのであり、この状態を老子は「無為自然《むいしぜん》」という言葉で表現している。

アマウツシを、星という規模でやるには、宇宙的規模の力が関わるという可能性もある。カタカムナ的に言うなら、これはカムやアマの根源のエネルギーを引いてくるということになるだろう。

星という単位でということになると、潜象のアマからのエネルギーと言っても、宇宙的な助けがいる可能性がある。物理的なものだけではなくて、生命性のエネルギーが必要なら、カム界のエネルギーを引く必要があり、この場合のエネルギーの源泉は、この大宇宙の奥にいる根本存在になる可能性がある。いずれにしても大ごとだが、星のアセンションというようなスケールのことをやるには、いろいろな条件を整える必要がある。

元素転換

もしスケールをもっとミクロな存在に限定していって、元素や原子のレベルで物質世界の表現を変えるなら、「元素転換」とか「元素消滅」というようなレベルの変異もあり得る。この場合は文字通りのアセンションではない。

星の中の限定された空間をアセンションさせるというような時は、その空間の中の物質の表現を変換する必要があり、その時は、当然その空間の中の元素を含む物質がアセンションすることになる。

「元素転換」のようなものも、アセンションをする時のアマウツシの限定的な現象だと見ることも、もちろんできるかもしれないが、存在の様式が別の次元に変わるのではなくて、同じ次元の中で再表現されると考えられる。

個人レベルのアマウツシ

アマウツシという時の範囲は広く、生きているということ自体が、アマウツシが連続的に起こっている姿であると見ることができる。

目に見えない世界からのエネルギーを、この目に見える世界に映し出すこと自体がアマウツシであり、これは私たち人間の場合、無意識に行っている。

アセンションということで言えば、この今生きている世界に、自らの姿を映し出していることと自体が、アセンションの一つの形態であるので、これがアセンションなら、私たちは、今この状態で既にアセンションをしているのであって、アセンション自体は特別のことではないことになる。

そういえば、以前、宇宙存在とのセッションで、「あなたはやり方を忘れてしまっているようだが、思い出せばできる。今地球で言われているようなアセンションというのは、序の口で、どんな世界にでも自由自在に自分の姿を映し出すことができる」と言われたことがある。

そう言われたらそうできるというわけでもなく、今の私は、こういうことを個人レベルでやったことはないし、できもしない。そのやり方を覚えてもいない。だが、ほんとうはできるのだそうである。

アマカエシという概念

カタカムナには、アマウツシという概念だけではなくて、「アマカエシ」という概念もある。

これは何かというと、現象界に表現されているものを消して元のエネルギーに戻し、潜象界に送り返すことを言う。

物質世界の言葉に置き換えると、同じ見えないものでも、ダークマターとかダークエネルギーというような概念が、今の物理学にはあり、そういうエネルギーに変換するという風に考えると、少しは夢物語から現実感のある話になるかもしれない。

複合発酵を編み出した高嶋康豪《やすひで》氏は、著書の中で、このアマカエシにあたることが起きているのではないかということを示唆《しさ》している話をしている。

5　アセンションと地獄界の解消

アセンション後の構想

まだアセンションができると決まったわけではないので、アセンション後の話をするのは早すぎるかもしれない。そもそも、惑星のアセンションには前提があって、人間の霊性というか目覚めの度合いがあるレベルを超えることが条件になっている。地球人の意識が今のままでアセンションできるわけではない。

最も大事なことは目覚めだが、これは言葉を変えると「人間が自己愛を捨てられるか」ということだ。自らの存在というものに正しい認識が持てれば、次の段階に進むことができる。

　地球がアセンションした後は、地球はデュアル・モードの時代に入る。アセンションした物質世界と、アセンションしていない元の物質世界の両方を持つことになる。

　これには宇宙のニーズというのがあって、アセンションしていない物質世界に生まれることを計画している宇宙人が多くいるという事情がある。そして、現在、そういう人たちが数多く宇宙からやって来ているために、地球の人口が増えている。

　アセンションが起きた時に、アセンションしなかった元の地球の物質世界の文明は消去され、原始時代から次の新しい文明が起こることになる。

　アセンションする世界のほうは、アセンションするべき人とともに、新しい次元に物質世界が上昇する。

　この時何が起こるのかは正確には私にも分からないが、寿命は３００歳以上にはなるだろう。病気はなくなり、医者は原則としていらなくなる。食べ物は今食べているようなものをそのまま食べるということはなくなる可能性がある。植物や家畜が変わってしまう可能性があるからだ。

　全体に世界が軽くなるような感じがするだろう。軽快な感じになる。価値観が次第に変わっていき、今のような貨幣経済ではなくなっていく。お金で全てを計るようなことはなくなる。

今と一番違うのは、身の周りにいる人の思っていることが、話をしなくても分かるようになることだろう。

これは大変なことで、愛の思いを持っている人以外は一緒にいられなくなる。霊的な世界に帰った時のような様相になってくるのだ。

地獄界の解消

今の地球の霊界には、地獄が存在している。アセンションの前までには、これを解消する必要がある。少なくとも縮小させる必要がある。

というのは、アセンション後の地球には、地獄界が存在する必然性がないからだ。地獄に行く人がいなくなるようなレベルの地上の文明が成立するというのが、逆にアセンションの条件だ。

すなわち、地球人は、そこまでレベルアップをしないといけないということであり、それと同時に、過去に地獄に行ってしまった人たちをも、何とかしないといけないということになる。

これは、今の地球人にとっては厄介な仕事だ。霊的なことを認められない人は、当然のことながら、地獄というのもおとぎ話以上のこととしては受け止められていないからだ。

地獄の解消は、光の天使たちによって今進められていると私は聞いている。そして、このことにルシファーは怒り狂っているという。

私たちができることは、地上の世界で今生きている人が、死んだ時に地獄に行かないように啓蒙することだ。死んで地獄に行くか行かないかは、生きていた時の生き方によって決まる。

どういう生き方が危ないかというと、それはこの物質世界しかないと思い込んで、破滅的な生き方をすることだ。

自分の欲望のままに生き、人を虐《しいた》げ、暴《あば》れ回っていれば、死んだ後は危《あや》うい。反省をする余地もなく、地獄に落ちてしまう。神の存在などないと思っていると、今度は何をしてもそれはやりたい放題ということになり、自分の野望のままにつき進むことになる。こういう時は、又地獄の影響を受けて自分の心の制御も効かなくなっていて、これは死んでも止まらない。

人を恨《うら》むあまり、抑制が効かなくなって、復讐の思いに支配されてしまうような時もそうだ。そういう思いになるのは理解できなくはないが、どこかでそれが抑制できなければ、相手への憎悪に燃えあがってしまう。これは相手の非を是正するということとはまた違う。自らの心を誰かに支配されてはならない。

あるいは、この物質世界しかなく、死ねばそこで自分は消滅してしまうと確信していると、死んでも死んだことが分からないことになる。死んでも自分が存在しているので、それは死んだという認識につながらないのだ。この物質世界しかないという思いに取り憑《つ》かれることも、地獄の影響の一つだ。

そして、この物質世界しかないという思いと、お金に対する思いというのは、重なりやすい。だから気をつけないといけない。

宇宙連合の一員になる

今の世界を見ていると悲観的になってしまうが、要するに、善の部分が表に出てきて、世の中が収まるかどうかということだ。

内心に邪心やあらぬ欲望があるような状態で、宇宙に出ていくことは許されていない。人類が全体としてこういう自己愛に発する思いを卒業できた時に、地球はアセンションを迎え、そうするとその時を境として、新しい宇宙レベルの科学が発達していくことになる。

霊性と科学を統合したような分野が開発され、その結果として、新しいエネルギーが出てくる。そして宇宙を航行する新しい技術が人類にもたらされる。そして、地球人が宇宙連合に仲間入りし、宇宙に出て行けるような時代がやってくる。

そしてこの頃になると、人類の一部は、元の宇宙に帰っていく人たちも現れるかもしれない。これには宇宙船を使う必要はない。霊的な力で宇宙の中を移動することができるからだ。

そうすると、地球の霊人口はひとりでにあるところまで減っていくだろうと思う。地球の人口が無限に増えていくということはない。

6　アセンションと地球人類の構成

古い人類

私の見るところ、地球にいる人類と言ってもいろいろな人がいるようで、その起源も多様であり、一概には言えないほどの多くの人たちの集団であるように見える。

これは、魂のことを言っており、肉体的なことを言っているわけではないのだが、肉体の部分は、これはこれで単純ではない。

今の科学で一般的な見解となっていることをまとめると、地球が誕生したのが４６億年前で、３８億年前にバクテリアが誕生し、３２億年前になるとシアノバクテリアが登場して光合成が始まった。

そして２０億年前になると真核生物が登場し、１０億年前に、これが多細胞化し、５億年前にカンブリア爆発が起こった。

4億年前になると、植物が登場し、そして2・5億年前になると恐竜が登場した。1・5億年前に鳥類が登場し、6500万年前に恐竜が絶滅する。

そして、北京原人が登場するのが50万年前ということになっている。最近のミトコンドリアの解析によるアフリカ起源説だと、アフリカに人類の共通の祖先が出現したのが、20万年くらい前で、アフリカから移動を始めたのが7万年（0・0007億年）くらい前ではないかと考えられている。

だから、人類の登場は、いずれにしても、つい最近のことであるということになっている。これは、化石などによる研究で、実際にそれを目で見て確かめたわけではないので、この化石に残っていないものもあるかもしれない。

この科学の言っていることは、これはこれで真実である可能性がある。

しかし一方で、地球に非常に進んだ人類が、何億年も前に存在していたということを否定することもできない。

この進んだ人類というのは、この地球上に証拠になるようなものを残すような人たちではなかったし、地上に肉体を持って存在していた人の割合は多くはなかったからである。なぜこういう話をわざわざしているのかというと、私自身も、この「大昔に地球にやってきたグループ」に属しているらしいということが分かったからだ。

地球起源の人類

それと、もう一つのグループは、「地球起源の人類のグループ」である。地球で創られた魂たちと言ってもよい。これはシュタイナーのアカシック・レコードに載っている。

創られたというのはどういう意味かというと、太古に地球にやってきたハイスピリットたちによって、人間の魂が創られたということだ。どうやって創ったかというと、アストラル胚《はい》という、種《たね》となるエネルギーを創って、そこから人間の魂へと進化させる方法を取った。

こういう、魂を進化・成長させていく過程が、シュタイナーのアカシック・レコードには詳しく語られている。そしてそれがレムリア人やアトランティス人の一部になっていくと書いてある。このあたりの話は、拙著「シュタイナーとアカシック・レコードと地球の未来」の中にも書いておいた。

地球にやってきていた魂について、それを元にして分身を創って魂を増やしたという話もあるが、いずれにしても、地球で創られた魂というのが、相当量いることは間違いないだろう。

最近宇宙からやってきたグループ

もう一つの地球人のグループは、「最近、宇宙からやって来て、地球霊界の中に受け入れられ、そこから地球人として生まれている魂」であり、これも相当量いる。

この中には、少し前、例えば、1万年とか2万年くらい前にやって来て、地球で活動している人と、ごく最近やって来て、地球で初めて生まれているような人もいる。

出身の母星も様々で、天の川銀河の中の星からやって来ている人たちもいれば、もっと遥かに遠い星からやって来ている人たちもいる。

全くの一人でやってくるということは、普通はない。かなりのまとまった数でやってきていることが多いだろうと思う。

こういう時に、勝手に地球に入って来れるのかというと、そういうことはもちろんなくて、地球霊界の上のほうに、こういう宇宙の星からやってくる人を受け入れる担当の方がいて、ちゃんと許可を得て入ってきている。

皆さんは、信じられないかもしれないが、この大宇宙の外の世界からやって来ている人もいる。こういう星の間での人の行き来というのは、その星の許可というのも必要だが、宇宙連合の承認マターになっていて、悪意を持ってこっそりと侵入してくるというような形は許されていない。

アセンションとデュアル・アース

こういうふうにいろいろな方が地球にきているとすると、そういう方たちとアセンションとの関連を考えないといけない。

これから地球がアセンションをするという時に、仮にこれが成功したとしての話であるが、アセンションをした世界以外に、今の地球のモードも維持され、二重の物質世界を持つという計画がある。なぜ、二重の世界を持たないといけないのかというと、そういうニーズがあるからだ。地球の役割を一言で説明するのは難しいが、大宇宙全体の進化のために創られたというようなところがある。

言葉を変えて表現するなら、非常に進んだ星にいる人を、再生させたり、鍛えなおしたりというようなことをすることができるような環境設定になっているのである。

アセンションが達成されていない、基底レベルの進化度の星で、かつ宇宙の中の強者《つわもの》が集まっているような星は、地球をおいて宇宙のどこにも存在しない。それに加えて、第一レベルのアセンション世界も加わるということになればなおさら稀有な環境と言えるだろう。

7 アセンションとは再投影のこと

自分自身を投影する世界を決める

今、この世界で生きている私たちには、自分で自らをこの世界に投影して生まれて来たという自覚がない。ある意味、無自覚に生きていて、何も分からない存在になり果てている。

だが、ほんとうは投影をしたから生まれることができていると見たほうがいいだろう。カタカムナでは、これは、『カムウツシ』と言われる。

どこに自分を映すのかという選択が自由自在にできれば、テレポートのようなこともできるし、自分の一部のエネルギーだけを送って、そこでいろいろな人と話をするということも不可能ではない。

この時に、物質世界の次元の異なる世界が相手であれば、アセンションをするか、ディセンションをするかというようなことになる。

バシャールが言っているように、この物質世界で私たちが空間を移動している時でも、すぐ隣の位置に自分を再投影していて、これを繰り返すことで移動しているのだというような解釈もできる。

あるいは、夫婦は似た者同士という面があって、長く連れ添って生きていると、いつしか顔つきまでも似てくるというようなことがあるが、これは、自分の肉体の姿に、自分の魂の状態が映されて起こっているのだと理解することもできるだろう。

この「映す」とか「投影する」ということが、これからは重要なキーワードになってくる。なぜなら、これはこれまで無意識にやっていたことを意識することができるようになるということを示唆しているからだ。

投影される宇宙を創る

私たちが、どこかに存在したいと思っていても、その世界というか、宇宙がなければ、投影はできない。存在できない。

これは、霊的な世界であっても、物質的な世界であっても同じだ。そして、これを創るのは私たちではない。

地球のことなら、地球自身、つまり、地球に宿っている意識体である地球意識だろうし、地球霊界の場合は、地球霊界の上のほうの方たち（いわゆる高次元存在）が、地球意識の助けを借りて創り出しているのだろうと思われる。

地球霊界の上のほうの領域は、宇宙に対して開いているが、下のほうの領域は、地球の中で閉じている。その星ごとに多層の霊的世界が多次元世界として存在する。

こういう世界（霊界）は、全てが最初からあったのではなくて、必要に応じて創られてきたものだ。地球の場合は、先に述べた七層の、今の状況を、太古からの時間の流れの中で、必要に応じて創ってきている。当然、別の星に行けば、その星の事情に応じた霊的世界が存在する。

「地球のアセンション」という場合は、地球という星が対象になり、地球全体でのこうした領域を「再創造」することを意味する。そして、その星の物質的世界も次元性を持って存在していることは既に述べた。いろいろな次元の物質世界のうちの一つを、今の地球はまとっているわけだ。

ある世界から別の世界への再投影

今話したのは、地球という惑星意識が行う投影についてだが、次に人間が行う投影について考えてみよう。

物質世界の中で自らの投影を行うというのはどういうことかというと、一番自然に起こっているのは、「死」と「生」である。ある人生を終わり、あの世に帰ってから、もう一度、この世に生まれ直してくるというのは、全ての人がやっていることで、これがこの再投影の一つの形態だ。

この時に、元の世界と次の世界が同じでないと、文字通り、別の世界に移行することになる。もしも、生きているままで、星のアセンションに遭遇《そうぐう》すると、まさにこういうことが起こる。これは、本来は、本人が自覚して行うべきことであり、そうでない時には混乱を伴う。なぜなら、自らが自分自身を投影していた世界が、突然消えてしまい、意識が宙ぶらりんになってしまうからだ。

「霊性の目覚め」ということをことさらに言うのは、このためだ。霊性の目覚めというのは、一人一人の認識力の向上を意味するが、それは、アセンションの時にそれについていけるようにするためでもある。

話は横道にそれるかもしれないが、宇宙には物質世界の波動の異なる星が様々にあり、宇宙船でそういう星に行く時は、宇宙船ごと波動の調整をしてから現れる。だから、こういう時に宇宙船に乗っている人は、その波動の変更についていけなくてはならない。その程度の認識が持てないようでは、宇宙に出ていくことはできない。

どこに投影できるかは魂の目覚めが決める

この波動の調整というのは、低いほうに調整するのはそう難しくはないが、高いほうに調整するのは難しい。これはある意味でその人の「悟り」の段階にも関係していることなので、簡単にはいかない。

この悟りというのは何かというと、「魂の霊的な目覚めの度合い」とも言うべきもので、これはイチゼロではない。ここには無限の階梯がある。別の言葉で言うと、悟りは、人間の魂の進化と関係していて限界がない。そういう世界の中を私たちは生きていて、今ここにいるということなのだ。

そうであっても、原理的には、私たちは自らを映し出そうと思えば、どこにでも自らを映し出せる可能性を持っていることは確かだ。そして、地球という星は、今、最初の段階のアセンションができるかどうかというタイミングにある。

8　ポールシフト

ポールシフトとは何か？

ポールシフトという言葉は、惑星の自転軸が変化することを言う。

地球の場合、太陽という恒星の周りを公転しているが、この時、地球自身が自転しながら公転をしている。この時に、自転軸が公転軌道面に対して23・4度傾いている。実は、この傾き具合が絶妙で、この傾きの結果、地球に四季や、多様な環境が現れる。

この地球の自転軸が、突然大きく変わってしまうのが「ポールシフト」と呼ばれる現象である。こういうことが起こり得るというのは、今の科学では考えられないことだ。まあしかし、今の科学では考えられないということになれば、アセンションというのは、もっと考えられないだろうと思う。だから、科学的な視点に立って考えれば、いずれにしてもあり得ないことをこの本では扱っているということになる。

ここで話を少し精密にしておかないといけない。

科学的な概念としてポールシフトというと、これは、地球の自転軸の公転軌道面に対する角度である、23・4度というのが変化するということなのだが、もう一つ「極移動」という概念がある。これは自転軸の向きは変化しないで、地球が軸に対してドリフトするというものだ。ポールシフトが実際に起こるとすると、私はこの極移動のほうの可能性が高いのではないかという気がしている。

そして、仮にこのポールシフト（極移動）が起こるとすると、その後に地球のどの部分が北極や南極の位置になるのかということが大きな問題になる。というのは、今の地球でもそうだが、地球のどの部分にでも人間が住めるわけではないからだ。国境が意味をなさなくなるということを、これは示唆している。

物質世界の浄化

ポールシフトが起こった後に、日本がどの位置にいるのかも大きな問題だ。もし日本が、これから先の世界の文明をまとめていく時の中心の地として位置付けられるのなら、ポールシフトが起きた後も、日本は人間の住めるような気候を維持できるようなポジションに存在している必要があるだろう。

そうでなければ、日本のミッションは無くなったということで、逆に気が楽になるだろうが、そうは問屋が卸《おろ》さないかもしれない。

ポールシフトが起こるかどうかも分からないが、これは、起こってからあとで考えるしかないだろう。

仮にポールシフトが起こるとして、これが何を意味するのかを考えてみると、現代の文明をシャッフルして、新しい文明をスタートさせるための手段として、地球自身が使おうとしているとも考えられる。

ポールシフトというような過激なイベントが起こると、地球の表面はただでは済まないだろうし、急激な気候変動に見舞われて、命を落とす人が多く出る可能性がある。まともに食料がとれなくなるような事態が考えられるし、食料を作ったり、作った食料を運んだりという手段が確保できているかどうかも定かではない。だから地球の人口のかなりの割合が失われてしまう可能性もあるだろう。そういう覚悟をしておかないといけないという気がする。

文明の切り替え

もしポールシフトを、現在の文明を次の文明に切り替えていくということにおいて、意味がある可能性があると考えるのなら、それがうまく行くには、人類の側に一定以上の正しい認識が芽生えていることが条件になるだろう。それがなければ、おそらくはパニックにしかならないのではないかと思う。

そしてこれは、普通に考えるなら、現状の文明を消滅させていく方向に働くイベントになるだろう。

ポールシフトが起こったとしても、そのことで物質文明の方向転換がひとりでにできるという保証はどこにもない。そこをどうやっていくのかは、あくまで人間の自由意志による選択である。

どちらにしても待ったなしの状態に向かって事態は進んでいるということになる。

ポールシフトが来なくても、代わりにやってくるものがあるかもしれない。通常の想定の範囲を超えた気象の異常や、気候変動、火山の爆発、地震など、考えればきりがない。

科学的な検証

ポールシフトの可能性を科学的に検証してみると、今の科学の枠組みでは、この可能性があるということは言えないだろうと思う。

なぜなら、そのようなことが有史以降に起こった形跡はないし、精密な観測が可能になった最近の研究でも、非常に小規模なポールシフトや極移動は観測されているが、大規模な現象として観測されたことがないので、論証の仕様がないからだ。

実際に起こった後に、その現象が起こった原因を考えるという形での研究しかできないだろう。

否定的な見解というのが、常識的な認識から出てくる答えである。だが、では、絶対にあり得ないと言えるかというと、そこについては、何も言えないということになる。これはアセンションについても同じである。

私が何となく感じるのは、ポールシフトとか極移動、そしてアセンションも含めて、こういうことが起こる原因は、地球意識が関与しているということである。

そして、この世ならざるところからの力が働いて起こるのだろうということだ。だから、こういうことが起こるとすれば、それは天の意志が働いている結果であるということが分かるということになる。しかし問題は、それが起こった時でさえ、多くの人にはそのことが認められないかもしれないということだ。

アセンションと量子力学

アセンション関連の考察の最後に、量子論との関係を論じておく。

今の地球の物質の存在の精妙さを決めているのは、量子力学によると、プランク定数ということになる。物質存在のミクロな世界における存在の様式は、私たちの日常の感覚からすると摩訶不思議なところがあって、その存在が決して確固としたものではなくて、「ぼおっと」している。そしてどのくらい「ぼおっと」しているのかを表しているのが、このプランク定数なのである。

プランク定数自体は非常に小さなもので、h(6.6x10**(-34)Js)で、光のエネルギーというのは、その光の振動数とこのプランク定数を掛け合わせた値の整数倍の値しか取れない。これは、このプランク定数がエネルギーの細かさを決めているということを意味している。

量子力学には、もう一つ不確定性原理というのがあって、これは、物質の極限の素粒子のような粒子の場合に、その位置と運動量（速度が関係）を、厳密に言うと同時には精密に決められないということを言っていて、位置とか運動量の決められる最小値の積がこのプランク定数で決まっている。

これは直感的なイメージでいうと、素粒子とかの存在がプランク定数程度のスケールで「ぼおっと」しているということであり、これ以上の細かい存在ではないということを言っている。だからこれは私たちの周りを取り巻いている物質の存在の粗さを表していることになる。

これが示唆していることには意味深いものがあって、仮に、プランク定数が、もう一桁とか二桁小さい世界が存在すると、そこでは、物質を構成する究極の素粒子の存在性が、その分精妙になると考えられるということだ。これはまたエネルギーの細かさでもあるので、プランク定数が違う世界ではエネルギーの表現も精妙さも変わってくるだろう。

だからここから想定されることは、もしアセンションした世界があるとすれば、そこではプランク定数の値が違うかもしれないというようなことが考えられる。ひょっとすると光の速度も違うかもしれない。

第3章

宇宙意識から見た地球

——目に見えない存在を理解するために

アセンション、つまり地球の物理次元の変容には、人間の意識の変化だけでなく、宇宙的な進化のサイクルや、創造主の意図などが関係する。その情報は、これまであまり明かされてこなかった。

Aさんは、宇宙意識とつながって、銀河における地球のユニークな立ち位置を教えてくれた。

1 宇宙はどのようにして創られたのか

大宇宙の根源意識

宇宙はトップダウンで創られたと考えられる。

まず根源的な存在が先にあって、ここから宇宙全体が生まれ、それがいろいろな構造に分かれて行った。いわゆるビッグバンモデルは、この見方と整合している。

現代物理学の宇宙論による説明を要約しておくと、次のようになる。

この領域は、アインシュタインの一般相対性理論の重力方程式を解くことから出発しており、解がいろいろあるのだが、有名な解は、宇宙の膨張モデルを説明する解だ。

膨張するモデルということになれば、当然最初は小さかったはずで、ここからビッグバンの話になるわけだ。

ビッグバンモデルでは、約一三七億年前に、一点から爆発的に膨張したとされている。なぜビッグバンが起こったかはもちろん分からない。その部分は謎だ。もちろんビッグバン以前がどうであったのかも分らない。

実は、厳密に言うと、ビッグバンの時は、宇宙は体積が十のマイナス三十五乗メートルのスケールから、突然十のマイナス三十四乗秒の間に十の百乗倍の大きさまで膨張したのだそうだ。とても想像を絶するスケールだ。

これをインフレーションと言っているが、このインフレーションの後はゆっくりとしたスピードで膨張を続けている。厳密に言うと、インフレーションの最中はこの空間のエネルギー密度が一定で、体積が増える分だけ比例してエネルギーが増えていった。

要するに、エネルギー付きの空間が生まれ出たということだ。インフレーションが終わった時点では、限りなく0秒に近い時間しか経っていなかったが、ものすごいエネルギーを持った火の玉のような宇宙が出現した、というのが、このインフレーションの説明だ。

厳密には、このインフレーションの後のことをビッグバンと言っている。ここから後は、このエネルギーを使って、七十億年ほどはゆっくりと膨張している。

細かく見ていくと、何回かの相転移を経て、ビッグバンから最初の三十八万年くらいが経った時に温度が冷えて、今の原子のいくつかが現れ、電子が原子の中に閉じ込められ、電磁波が宇宙の中を伝搬するようになる。これが今でも宇宙の背景放射として観測されている電磁波だ。

二〇〇六年にノーベル賞を受賞したカリフォルニア大学バークレー校のジョージ・スムート

は、この背景放射を観測した人だ。初めてビッグバンの初期の状況を示す証拠が確認されたということだ。

実は、七十億年経ったところで宇宙の膨張速度が増加する。今では、このエネルギーを供給するものとして、ダークエネルギーという未知のエネルギーを仮定している。

まあエネルギー保存の法則が破れているので、何かを想定しないと辻褄《つじつま》が合わないということなのだが、実はエネルギーの保存は、初期のインフレーションの時も成り立っていない。インフレーションの時は、空間が一気に膨張する間に、どこからともなくエネルギーが供給されて、エネルギーがどんどん増えていったことになっている。

このエネルギーはどこからきたのか。それが問題だ。

そしてここから先は科学の話ではない。実際に何が起こったのかを霊的に説明する話だ。超越主義的な科学の説明では、この大宇宙はビッグバンの時に根源存在の思いによって創造されたのだということになる。だからこの物質世界にゼロから現れた。

実はバラモン教とかヒンドゥー教の経典であるヴェーダの中に載っているマントラに「オーム」というのがあって、このオームは宇宙の根源的なものを表すと言われている。

こういう話の文脈では偶然の一致ということはないと思うので、ひょっとすると、この「オーム」というのが大宇宙を創り出した根源存在の名前であるかもしれない。

銀河意識

実は、この大宇宙は星が一様な密度で存在しているわけではなくて、多くの星が集まって集団となっているところと、ほとんど星が存在せず隙間が多い場所とがある。

この星が集まっている集団は銀河と呼ばれる。ちなみに私たちの地球がいる銀河は「天の川銀河」と呼ばれる銀河で、正確な大きさは分かっていないが、推定では直径は10万〜20万光年で、厚さは約1000光年、そして含まれる恒星の数は2000〜4000億個と考えられている。

ちなみに、天の川銀河の隣には、アンドロメダ銀河という巨大な銀河が、230万光年離れたところに存在している。

これだけでも私たちが頭の中で想像するのが難しい規模なのだが、こういう銀河が宇宙には2000億個以上あると言われている。最近の推定では、2兆個以上という話もある。

ちなみに、宇宙全体は137億年前に誕生して、大きさは137億光年より大きいのではないかと思われているが、正確な大きさは分かっていない。300億光年という話もある。

そういう大宇宙の銀河の中で、天の川銀河の銀河意識という存在がいて、順番から言うところの意識が、自らの体である星雲を形成したということらしい。

天の川銀河だけでなくて、全ての銀河にはその銀河の銀河意識が宿っている。

これは少し厳密に説明しないと混乱が起こるかもしれないが、この銀河意識という存在は、大宇宙の宇宙意識の下部意識でもあって、大宇宙の中にあまたの銀河があるように、銀河意識も大宇宙の宇宙意識から生み出されたものだ。

そしてこれは、大宇宙自体が一つの生命体であるということを意味するのと同時に銀河も巨大な宇宙レベルの生命体であるということを意味している。宇宙というのは、単なる物質的な構造として存在している構造体ではないということだ。

そして天の川銀河に宿っている銀河意識は「アガシャー」と呼ばれており、愛を担当する意識体である。だから天の川銀河にいる霊的な存在たちを総称してアガシャー霊系団という。

ということは、他のそれぞれの銀河に宿っている銀河意識にも、それぞれの個性があるということで、智を担当する銀河意識もあるし、芸術を担当する銀河意識もあるということだ。

恒星意識

同じように、宇宙の規模を一段スケールダウンすると、恒星が現れる。

恒星には恒星の意識が宿っていて、これが銀河意識の下にいる。宿っているというよりも、先に恒星意識が存在していて、その力によって恒星が生まれてきたと言ったほうがいいかもしれない。順番としてはそうなる。

私たちの地球がいる太陽系の恒星は「太陽」という名前の恒星であり、この星に宿っているのが「太陽意識」という意識体だ。

大宇宙の中での星のアイデンティティは、恒星を中心に形作られることが多い。というのは、恒星系というのが、人間でいうと家庭のようなところがあって、エネルギー的な自立した系であるからだ。

太陽系も、恒星系として見ると、太陽が熱を周りに放射して、この太陽系の中にいる惑星たちを生かしている。物質的に見ると、恒星が出す熱というのは、恒星の中の核融合反応で、これは長い時間にわたって継続する。

霊的に見ると、太陽は孤立しているわけではなくて、多くのエネルギーを天の川銀河という銀河系から受け取って生きている。

この「太陽が生きる」という概念がピンとこないかもしれないが、太陽が生きるというのは、太陽に宿っている太陽意識という霊的な存在が生きるということで、霊的な存在といえども、何もなしには生きられない。

生きるためには、霊的にも、肉体を存在させるためだけであっても、エネルギーを消費する。全体から孤立していると、この消費するエネルギーで、自らの中にあるエネルギーが尽きてしまう。だからそのエネルギーを上位の存在から受け取らなくてはならない。それが銀河意識なのだ。

そして太陽意識は、自らがエネルギーを受け取るが、そのエネルギーで、自分自身が生き続けるだけでなく、太陽系の中にいる惑星や、惑星の中にいる生き物を生かすために、そのエネルギーを配る。

実は太陽という恒星意識も、並みの恒星意識ではない。というのは、地球のようなチャレンジングな仕事をしようとする惑星を自らのうちに抱《かか》えるというのは、大きなリスクを抱えているということでもあり、格別の支援をしなくてはならないし、覚悟も必要であるからだ。

現に、太陽は、惑星のうちの一つを既に失っている。現在は、木星と火星の間の小惑星帯になっている惑星がそれだ。もう一つは、物理的には存在しているが、人類が滅亡してしまった星で、火星がそうだ。地球はまだ生き残ってはいるが、満身創痍である。

惑星意識

恒星意識が先に存在して、その力で恒星が生まれるのと同じように、地球のような惑星の場合も、惑星意識が惑星を創る。創造において、ものごとの順番は、必ず上から始まる。

まず、惑星意識であるテラとガイアが、自分たちの星を創ろうと思うところから始まった。

引力の働きで星間物質が自然に集合して、それが惑星を形成し、そこから惑星意識が誕生するということではない。この順番は太陽系でもそうだし、銀河系でもそうだ。

だから、水を満々とたたえた青く美しい地球という星が、太陽系の中の一番具合のいい場所に登場したのは、決して偶然ではない。太陽意識とのコラボレーションで地球はできあがったということだ。

太陽系の中にある多くの惑星たちは、兄弟のような存在であって、惑星としての必要な種類のエネルギーを、それぞれの惑星が担《にな》っている。

それは太陽もそうだし、銀河系の中には無数の星があるが、その無数の星が、それぞれ固有のエネルギーを持って、それでお互いに助け合っている。

地球がどういう風にできあがったかということを、少し別の角度から見てみると、これは単に物質的な塊としてのみできあがっているわけではない。

物質的な構造は、今の科学でかなり解明されている。中心に核とよばれる構造があり、その外側をマントルがとり巻いていて、一番外側に地殻という層がある。

温度は、上部マントルは1900度くらいで、そこから中心にいくほど高いとされており、内核では5500度以上とされている。

組成的には深いところには重い鉄などがあり、表面に近いところの近くには珪素が存在している。珪素は石の成分だ。そして軽い水が表面のかなりの部分を覆っている。そして、地球という惑星の最も大きな特徴は、水が豊富にあるということだ。

四元素の精霊たち

地球という惑星については、私たちがいる星なので、もう少し詳しく説明をしておこう。世の中で一般的にはなっていないが、地球の体である物質の構造体に、直接地球意識が宿っているわけではない。そこにはもう少し精妙な構造が存在し、それは物質的なエネルギーよりは次元が少し高いエネルギーでできている。

この種のことを言っているのは、シュタイナーだが、シュタイナーの言っていることは、一般の科学の世界では共有されてはいない。

実は地球の物質でできた体の奥には「エーテル」というエネルギーでできた体が重なっている。

人間の体にもこのエーテル体は存在するのだが、地球の場合は、このエーテル体が4つの体で表現されている。それが「土・水・空気・熱」の4つであり、これは精霊の体でもある。

これは、西欧では古来言われていた「四元素」と同じものだ。だから、四元素というものは決してまやかしでも迷信でもない。これは地球意識の下位にある体と言ってもいいし、地球という体を地球意識がまとう時に中間にあるエネルギー層であると言ってもいいかもしれない。物質体に生命エネルギーを与えているのはエーテル体であり、地球は4つのエーテル体をまとっているということだ。

そしてこの4つのエーテル体の霊的な主体は精霊であって、単なるエネルギーだけの存在ではない。エーテル体はそれ自体が独自の生命体の形態を持っているのだ。そしてこのエーテル体には指導霊がいる。そして、エーテル体とは別にアストラル体もまとっている。

そういうエネルギー層の上に地球意識が存在する。

2　宇宙中のシニアな霊系団が集う地球

物質世界の文明を束ねる宇宙連合

これまでの話をまとめると、銀河とか恒星とか惑星というものを、霊的な主体として見ることができ、そういうものを背景として、地球の人類も霊的な主体として地球という星の中に存在しているということになる。

ところで、大宇宙の中には、そこに存在するもろもろの人類が作る連合体としての「宇宙連合」という組織がある。

宇宙連合に加入する星ともなれば、その星の霊界と物質世界の社会構造が裏表のような関係になって一致しているので、物質世界の星としても霊的世界の星としても宇宙連合のメンバーたり得る存在である。

地球の場合は、霊的な世界は宇宙連合につながっているが、物質世界のほうはまだそこまで行っていない。宇宙の中に出ていけるような状態ではない。

仮に今のままで宇宙に出て行ったら、多くの星を支配して植民地にしようとするような、精神性が低い原始的な星だ。

もっとも、宇宙船の艦長クラスの人は、肉体に宿っている状態で、かなり高いレベルの霊能力の発現ができなければ、高次のエネルギーを引いてこれないので、宇宙船自体を動かすことができない。だから、地球人は、今は宇宙に出て行こうとしてもできないのが実情だ。

それに、宇宙連合にコンタクトする場合は、今のように電波とか光を使うのではなくて、テレパシーによる。それも次元の高い波動を使った霊的な通信でなければ、別の銀河の中にある宇宙連合とのコンタクトはできない。これは、まだ今の地球人では難しい。

大宇宙の外にある大宇宙

もう一つの話題として、この大宇宙の外にも宇宙があるのかという謎がある。

この答えはイエスだ。この私たちのいる大宇宙だけが唯一の宇宙であるということではなくて、私たちのこの大宇宙の外にも、多くの大宇宙があるということのようだ。

この種のことはあまり情報が多くはないのだが、以前にAさんから聞いたところでは、人間から進化してこの宇宙の外に出て、自分で大宇宙を創れるようになった方が何人かおられるという話だった。

これは、どのような人にも、自らの魂を進化させてそういう段階にまで持っていく可能性があるということを言っている。人類の進化の無限の可能性を示唆している話だ。

もう一つの情報は、最近Hさんから聞いた話で、大本教の開祖である出口なおという方の出どころについてだ。

一昨年の夏に仲間と富士山で合宿をしていた時に知ったのだが、その時に、出口なおという方は、実はこの宇宙の外からやって来た魂であるという話が出た。しかも私を指導している方と、なおさんは仲がいいらしい。

こういう比較的身近なところに、この宇宙の外の宇宙の話が出てくるというのは、こういう話も含めて、人間の認識をそろそろ変えて行く時期がやってきているという気がする。

この大宇宙のことさえよく分かっていないのに、この宇宙以外の宇宙の話をするのは、いささか唐突《とうとつ》な感じがするかもしれないが、こういうことが示唆する真実は非常に重い。なぜならこれは私たちが根源的な存在であると思っている存在が、実は根源的な存在というわけではなくて、まだその上があるということを暗示しているからだ。これは神という概念の根幹に関わることだ。

私たちはどこまで認識を伸ばしていくことができるだろうか？　それが問題だ。

宇宙の縮図

ところで、地球はいろいろな意味で大宇宙の縮図となっている惑星だ。大宇宙の中核をなす霊団が地球に集められている。

私には固有名詞を全てあげることができないのだが、どういう霊系団が地球にやって来ているのかというのは、今の地球の文明とか文化とか宗教とか科学とか、そういうものを見ていると、そこから透けて見えてくるものがある。かなり傾向の違う魂の集団がいるらしいことは、少し注意してみれば分かる。

そもそも霊系団というのは何かというと、これは非常に大きな魂のグループだ。こういう魂のグループは、いろいろある中から、似たような魂が集まって作られたボトムアップ型のものではない。

これは大元に巨大な親の霊的な存在がいて、そこから分かれた魂の群れなのである。霊系団という時は、中心に大霊がいて、この大霊から分かれた魂が、一群のグループを作っていて、これを霊系団という。ルーツが一つなのだ。

もちろんルーツが一つであっても、創られた魂は全て独立の魂で、別々の個性を持っている。金太郎飴のような魂ではなくて、皆が違う魂だ。だが、根のところというか、地のところが、共通の系列の魂群なのだ。だから魂の系列という意味も込めて霊系団という言い方をする。

天の川銀河は愛の霊系団（アガシャ霊系団）

私たちのいる銀河は天の川銀河だが、実はこの銀河を代表している魂の集団がある。「天の川銀河霊系団」だ。この霊系団は、天の川銀河の銀河意識を母体にして生まれた魂たちの集団であり、その個性は「愛」であると言われている。

霊系団というのは、非常に『大きな魂の個性分けのグループ』で、愛の霊系団というのは、スピリチュアリズムではホワイト霊系団と言うようだが、イエス様が所属している有名な霊系団だ。

なぜ愛の霊系団なのかというと、それは天の川銀河の銀河意識の個性が愛を体現している意識体であるからだ。

どういうことかというと、およそ銀河意識の個性には、二つとして同じものはなくて、みんな違っていて、それぞれに役割がある。

物質宇宙として見える銀河の実体と、そこに宿る銀河意識は別のもので、銀河を特徴づけるものは、最終的には、そこに存在する銀河意識の個性で決まる。

愛は、霊性の中で最も重要な徳目でもあるので、これを我々のいる天の川銀河が担っているというのは、私たちにとって誇らしいことのように思える。同時にそういう場所にいながら、今の地球の状態というのは、愛とは違う方向に揺れ動いている。これはどういうことなのだろう？

ちなみに最近知ったことだが、私自身の出身は、天の川銀河ではなくて、アンドロメダ銀河であるということだった。

科学の霊系団

当然のことながら、科学の霊系団というのも、この大宇宙の中には存在する。私自身は基本的には、この科学の霊系団に属している魂のようだ。

この宇宙全体の中には、科学を専門にする魂の集団がある。これをシルバー霊系団または科学霊系団というらしい。

どうもこのシルバー霊系団というのが、私自身の魂が所属する霊系団のようだ。所属するとは言っても、末端のほうだろうが。

ある時、このシルバー霊系団の長の方が、私のことを労《ねぎら》いにやってきて下さったことがあった。今の地球というのはそれほどまでに大変なところらしい。宇宙の中にこれほど大変な星はないということのようなのだ。

普通の霊系団は、私たちの銀河に根を張っており、このホワイト霊系団のように、リーダーが銀河レベルの神霊だったりするのだが、シルバー霊系団には特定の母星とか母銀河みたいなものはなく、いろいろな星に分散している。

いろいろな星にいながら、手を結んでいるようなことになっている。

今の地球のような発展途上のようなレベルの星では、科学による進歩というものが非常に関心を持たれるかも知れないが、宇宙の非常に進んだレベルの中では、科学というのは、ある意味、常識に属するようなところがある。それゆえに、物質世界の仕組みを解き明かしていこうとする科学という分野は傍流《ぼうりゅう》であるとの見方もあるかも知れない。要するに、科学というのは、宇宙では当たり前のものなのだ。

愛とは何かというテーマは、この宇宙全体の中でも深みのある中心課題だ。進歩と調和というのも、簡単には答えの出ない課題だ。だが科学はそうではない。とはいっても、科学が愛よりも下に位置付けられるというわけでは必ずしもないだろう。

唯一つ気をつけなければならないことは、科学というものに表面的にとらわれると、唯物的な面が強く出てきてしまうということだ。

物質世界の制約の中で生きていくことに意味があるので、利便性の手段を与えることがかえって人間の能力の退化につながることもある。結果だけに捉われた時に陥《おちい》るトラップのようなものであると思わないといけないだろう。

そういうことは起こりえるとしても、科学をあるところまでマスターすることは、宇宙的に見ても人類の進化にとって必須のことだ。人間の認識力には、哲学的な認識だけではなくて、科学的な認識ということがあるからだ。

そしてこのあるところまでという段階がどこにあるのかが問題になるが、これは、普遍的な真理を見通す力を得るということであり、その中に、科学的なものの見方も含まれている。

そして、初めて、自分の存在している星の中だけに影響が留まらない発展の可能性が出てくる。つまり意識が自分の星の範囲を超えるには、科学のレベルにも条件が付くということだ。

それは、精神性のレベルがある段階を超えて、人間の存在がどういうものであって、何を目指しているのかが分かったのかどうかということにかかっている。愛というものの意味が分かったのかどうかが問われるのだ。

美（芸術と植物）の霊系団

美の霊系団は、私が地球に来る前にいた星が属していた霊系団だ。よく天使が背中に羽をつけている姿が描かれているのを見たことがあると思うが、この星の人はそういう姿をしていた。

私が初めてAさんに会った時に、私の背中に大きな羽が見える、何も仕事をしないで帰るとその羽を取られちゃうわよと言われた。

私が地球に来る前にやっていた仕事というのが、植物の適応性の研究だったらしい。どういうことかというと、この星は、大宇宙の中に植物を届けることをミッションにしている星で、多くの珍しい植物が栽培されており、地球で見かける美しい花を咲かせるような植物のほとんどは、この星から持ってきたものだ。

私たちは、ほとんど魂で地球にやってきたが、ごく少人数だけが、宇宙船でやってきた。というのは、地球に肉体のDNAを持ってくる必要があったのと、もう一つは、この星から植物を持ってくる役割があったからだ。

だから、数百隻の巨大な宇宙船の母艦に大量の植物を積んで地球にやってきた。

この星のもう一つの役割は「芸術」であって、多くの芸術家の魂たちがこの星にはいた。植物を持ってきただけではなくて、多くの芸術家の魂もこの時に地球にやってきた。

今の地球にいる芸術家の多くは、この時にこの星からやってきた人たちだ。そしてこの時に三人のリーダーが一緒にこの星にやってきた。後にニュートンとして生まれる科学系の魂と、マヌ、それとマイトレーヤだ。このマイトレーヤは、弥勒菩薩《みろくぼさつ》ではなくて、大マイトレーヤという大霊である。

私の立ち位置は単純ではなく、この霊系団の一員ではなくて、別のグループに属していて、ここに滞在しているような感じで、属している霊系団は科学系だが、この星の一員でもあるということのようだ。この星は霊系団としては、数十の文明を持つ星で構成されていて、私は、その中の主星にあたる星にいたらしい。

義の霊系団

あまたの霊の中でも流儀があって、精神性を高めるのが得意な方たちと、霊能力を発現させるほうが得意な方たちがいる。

義の霊系団は、霊能力系でもあって、これには二つの系統の霊団が地球にやって来ている。

一つは今の文化圏だと西洋にいるグループで、西洋の魔法界とかが関係するグループと、もう一つは東洋の仙人とか天狗とか妖怪のような者たちが関連するグループがいる。

ドラゴンと言っても西洋のドラゴンと東洋の龍は姿が違う。魂の系統が違うのだ。というか、出身の霊系団が違う。別の星から来た方たちがいるのだ。

リーダークラスで一番有名なのは「モーゼ」という名前で生まれた方の本体だ。私の知るところでは、モーゼは非常に強い力をお持ちの方だと思う。私はもともとこの系統の力を持っていなくて、得意であるような気はしない。

ちなみに、アトランティス文明の中で発現していた霊能力と、ムー文明で発現していた霊能力とではタイプがかなり違う。これには、こういう事情があるようだ。

智の霊系団

智というのは、究極は宇宙の叡智だが、これを究めようとする者たちが属している魂のグループが、智の霊系団だ。

智の霊系団には二つのグループがあって、一つは今の仏教のような方向で表れているものと、哲学というような形で表れているものがある。

この東洋系のものには、お釈迦様の仏教以外にも、チベットに伝わる密教系のものから、ヴェーダの系統のものが広く言うと含まれ、「東洋系の哲学」を構成している。

これに対して、プラトンに始まり、カントとかヘーゲルにつながっていく西洋哲学の流れがある。

この西洋哲学をやっている人たちと東洋哲学をやっている人たちとでは、霊的な系譜が違う。分かりやすく言うと、出身の宇宙の霊系団が違う。

この西洋哲学のグループは「理の霊系団」と言ってもいいかもしれない。そして理と智は近いところにある。

地球の面白いところは、その魂の起源がどうであれ、地球にやってきた後に、自分の持っていなかった個性を学び取ることができるようになっていることで、この東洋系と西洋系の間でも実は交流がある。

西洋系のグループの魂が東洋系の文明が存在するところに生まれて、それを学ぶとか、その逆もあるが、そういうことをして学び合うことができる。

和と礼の霊系団

これらのグループとは異なる霊系団がもう一つある。それが「和」の霊系団だ。礼とか仁《じん》とかというキーワードも関係する。これが日本の神々が関係する霊系団だ。

霊系団であるということは、こういう個性を共有している魂のグループが宇宙の中に存在するということだ。

日本の国は、昔は「大和（ヤマト）」と言っていて、これは「和」ということが中心にあった国だ。有名な聖徳太子《しょうとくたいし》の十七条の憲法でも「和を以て貴しとなす」ということが謳《うた》われている。そしてこの和の心を中心に置くのが「和の霊系団」なのだ。

実は細かくいうと、この霊系団にも2種類あって、孔子のグループと、天之御中主《あめのみなかぬし》や天照大神《あまてらすおおみかみ》のグループは、別の星からやって来ている。大元を辿《たど》ると、同じような個性のエネルギーをルーツにしているということがあるのだが。

ここまで見てくると、地球という星がいかに贅沢《ぜいたく》な環境であるかが分かるだろう。これだけの霊系団の魂たちが一堂に会《かい》している星など、宇宙広しといえども他にはない。

3　地球創造の意図は魂の進化

地球のミッション

「地球のミッション」などという大袈裟《おおげさ》なことを言うと、頭がおかしくなったと思われるかもしれない。宇宙人が存在しているのを当然の前提にしているし、地球という惑星の宇宙の中での役割という、凡人には大きすぎるテーマを論じようとしているからだ。

これから話すことは、地球のこれからのアセンションの方向にも関係する話であり、非常に重要なアルカナの一つなのだが、今の地球の中では、まだ共有されてはいない。

これはどういうことかというと、今の大宇宙の中に存在している、非常に進んだ文明の現状と関係している。

全てとは言えないかもしれないが、その多くに衰退の傾向が現れているという事実がある。唐突にこういうことを言っても、理解しにくいかもしれないが、分かりやすい言葉で言うとすれば、進化した宇宙文明が円熟期に入ったということであり、もっと具体的に言うと、物質的にも精神的にも、とてつもない進化を遂げたあと、何の不便も刺激も感じなくなるほどの域に達したということだ。

この停滞を打破するために、宇宙には物質世界が用意されていて、この物質世界に定期的に生まれることでリフレッシュをするということをやっていたが、この物質世界の段階も非常に進化し、ある意味で霊的な世界に近いほどの便利さを得られるほどの状態まで到達してしまったのだ。ちなみに、この物質世界の進化というのが、アセンションだ。

そして根源存在（神とも言えるような存在）は、新たな工夫をすることにした。それが、新たな星を創って、そこで停滞期に入った魂たちをリフレッシュするということだ。そしてこの計画に沿って創られた星が、地球だった。そして、地球という星の中で生きることによって、それまでには得られなかったような新しい力を得るということが考えられた。

地球という星は、大宇宙の中で見ると、一見原始性を宿した発展途上の星であるかに見えるが、それは見かけのことで、本当はそうではない。いろいろなことが綿密に仕組まれているところもある。

そのために、大宇宙の中に存在する、名だたる霊系団の中の、選《よ》りすぐりのものたちを地球に招聘《しょうへい》したということであり、実に多様な霊的な個性の柱たる存在たちが集まっている。今は地獄の帝王となっている、ルシファーまでもが地球に連れて来られている。これは、ある意味で地球が大宇宙の縮図になっているということを意味している。

そして、その物質世界に、宇宙からやって来た者たちが生まれて行くのだが、この時に自らの本来の認識力を封印して、素の、裸の魂の状態になって、高度な科学や霊的な文明を持たない物質世界の文明の中に生まれて行く。そうすると何が起こるかというと、その時に、真の自分の力が試されると同時に、停滞感の中に眠っていた、自らの力が呼び起されてくる。

相当に違った考え方を持ったものたちが集まっているので、ぶつかり合いも起こるし、そこにルシファーからの惑乱《わくらん》もある。非常に刺激的な世界がそこには展開する。そして、それを通して進化するというのが、根源存在の意図であるということになる。

自然に回帰する

地球で生きるということには、これに付随したいくつかのテーマがある。その一つが自然に親しむ、自然に触れるということだ。これは恐らく体験しないと分からないところがあり、人間はどうしても理念的な方向に偏りがちで、自らの感覚で大地に触れ、自然のエネルギーに触れるのがどういうことであるのかを忘れているところがある。

一言で言うと「原点に帰る」ということだ。

この原点というのは、肉体の生命としての原点であって、いかにこの物質体を持った生命体として、この物質世界の中に生きるのかということを、改めて「感受」するということだ。

「感受」はカタカムナの解釈の中で生まれた言葉だが、こういうシチュエーションでは、「認識」という言葉よりはしっくりする。ここには、生身の人間としてどう受け止めるのか、という思いが込められているからだ。

私たちが何を進歩とか進化と受け止めるのかということが、そもそも問題だが、こういうジャンルを究《きわ》めるには、膨大な道のりがあって、オイソレとはいかない。ものすごい努力と時間をかけても、すぐには手には入らない。だから、ともすると原点が見失われることになる。

原点というのは、高邁な理念とは対極にある、一見泥臭そうに見える自然であり、そこから私たちの体は出てきたのだ。

自然とは土であり、土のエーテルでもあるが、生命エネルギーの元のようなところがあって、そこには単なる鉱物的な素材だけではなくて、様々な微生物や、そしてその上には樹木も生えていて、全体で一つの生命圏をなしている。こういう自然というものから、私たちは何を感じ取るのかということだ。

土も微生物たちも雑草たちも、そして樹木たちも、どれも単なるモノではない。彼らは霊的な存在でもある。自然に触れ合うというのは、彼らの霊性と交わるということだ。彼らの持っているエネルギーに触れるということなのだ。

自然界に存在する生き物は、それぞれが独自のエネルギーを持っていて、それは私たちの持っているエネルギーとはまた違ったものだ。

もっと正確に表現すると、私たち人間の体は、動物界のエネルギー基盤の上に成り立っているのだが、その動物界は植物界のエネルギーの基盤の上に成り立っている。そして植物界のエネルギーは、鉱物界の基盤の上に成り立っている。

これはどういう意味かというと、動物の体のエネルギー基盤の中には、植物のエネルギー基盤が含まれていて、植物の体のエネルギー基盤の中には、鉱物界のエネルギー基盤が含まれているということだ。

だから、人間の体は、鉱物界と植物界と動物界のエネルギー基盤を含んでいる。この故《ゆえ》に、自然界というのは、人間にとっての母なる存在でもある。自然と人間の間には、そのようなエネルギー基盤に基づく関係性がある。

こういう話は、シュタイナーの「アカシック・レコード」の中に詳しく説明されている。

限界まで自らを追い込む

本来は、高度に進化した宇宙文明の中では、多様なものがぶつかりあって争うということはない。すでにそういうレベルは卒業している。

だが、地球の中で生まれてくる時は、その宇宙レベルの高度な認識を封印して、素《す》の魂として生まれてくるので、その魂が最初は自我しか持ち合わせておらず、従って、そういう魂が、この地球の高度ではない文明の中に生まれると、対立が起こる。

対立が起これば、本気にならなくてはならない。だからどうにかしなくてはならなくなる。

こういう時の失敗は、相手を殺したり、自分が死ぬことであり、あるいは物事がうまくいかないで仲間を失うというような破壊的なことが起こる。

うまくいく時は、その相手と深い絆が結ばれるようなことになるだろう。

こういう時に大事なことは、真心とか、誠実さを持って対すること、そして短気にならないこと、そして何よりも理想を掲《かか》げることだ。試練を経《へ》ていくこと、そして限界まで自らを追い込むことが深い人間関係を生み出していくこともあるし、それは自らを強くし、内にエネルギーを蓄積していくことだからだ。

試しに会う

一つ忘れてはならないことは「己心の魔」というものだ。

私たちの星では、現実に地獄界があって、そこには地獄の魔王の「ルシファー」がいる。これは譬《たと》え話でも作り話でもない。本当の話だ。

そして、今の地球で見える理不尽な世界の動きは、このルシファーの影響が少なからず効《き》いているのではないかと思う。

だが、ルシファーがいるので、物事がうまくいかなかったという風に、ダメな理由をルシファーのせいにしてしまってはいけないという面もある。

過去を振り返ってみると、アトランティスの末期に、大陸が一夜にして沈むほど酷《ひど》いことになってしまったのは、確かに下の世界の影響があったが、下の世界の影響を受けてしまうような未熟な私たちがそこにいたということも事実である。

だからここでは、どういう風にルシファーが私たちの心に入ってくるのかを説明しておこう。

私たちの心は、どんなことでも、思うことができる自由が与えられている。日常のいろいろな局面でいろいろなことを思っているが、その時には、いいことばかりが心に浮かんでくるわけではない。悪いことも思いつく。

よく「魔が差す」と言われることがあるが、常識的な判断をしていれば絶対にやらないようなことを、これは誰にも分からないからいいかと、変な判断をしてしまうようなことがないだろうか。

そういう時に、その心の思いに、爪を立てて入ってくるのだ。

ルシファーと彼の仲間たちは、実に人間の心の動きというか、機微に通じている。どういう時に心の隙ができるかを知り尽くしている。さすがに元七大天使筆頭の、智の天使だけのことはある。

そして一度入ってくると、次第にその影響力を強くしていって、最後は自由に思うことさえできないところまで、人の心を支配してしまう。

なぜこういうことができるのかというと、入られる人の心の中にある思いの傾向性に同調して入ってくるのだ。共鳴してと言ってもいいかもしれない。そしてこのルシファーに同調してしまうような思いの芽のことを「己心の魔」という。

己心の魔というのは、自我と関係した思いの中にある。自我というのは、自分を守りたいという本能的な思いであって、これが間違った方向に増幅されると、己心の魔になる。ルシファーは実に自我論がうまい。言葉巧みに人を誘うようなところがある。

こういうことがあるのだということを知っておくだけでも違うはずだ。

魂を磨く

「裸の魂で自らを磨く」ということが、地球で今の物質世界に生まれる時の原則だ。私たちの魂は、皆元々は大人の魂であって、ここ百年とか千年というような時間のレンジで生まれた魂ではなく、魂自体は、若い魂でも非常に長い時間を経て今に至っている。

しかしどんな魂であっても、体に宿って生まれてくる時に、過去の記憶をゼロリセットすることになっている。記憶が消されるだけではなくて魂が本来持っていた力もリセットされる。

もちろん、その魂が持っている潜在的な力まで消えてしまうわけではなくて、地力《じりき》として持っている力は、やがて人生を生きているうちに、それが新しい形で顕在化してくることになる。

こういうことは、魂としての能力がすごく高い魂であっても同じで、極論を言うと、イエス様であってもお釈迦様であっても、この事情は変わらない。生まれてから後の努力が大切であることを、これは意味している。

そして、人間として生きている時に、肉体に宿る前の魂が持っていた力を全て取り戻せるかというと、それは、普通はない。エネルギー体としての魂の全量が体の中に入っていないという事情もあるし、肉体に宿っていることで、できなくなっている。

だが勘違いをしてはいけない。そういう力を取り戻すことが、体に宿ることの目的ではない。肉体の体に宿るのは、自らの存在としての重心を得るということに他ならない。

一人の人間の魂としての限界を知るためには、体に宿ると、この感覚を感じやすい。「できないことがある自分」というものを感じることができる。そしてそこからの反発力として、自分自身が奮起する力を生み出すことができる。

これは、重力に反発して大地の上に立つという感覚につながる。霊的な存在としてある時は、この存在している時に受ける抵抗感が小さい。これがプラスに働くこともあるし、マイナスに働くこともあるということだ。

4　地球の最高次元にいるリーダー

十二人のリーダー

旧約聖書にはユダヤの１２民族（支族とも言われる）の話が出てくるが、これが実在したのかどうかは分からない。何しろ旧約聖書の最初には、この宇宙の創造とか人間の創造の話が出てくるので、これが地球での話ではなくて大宇宙のレベルの話であるのなら、１２民族の話も別のことを意味しているのかもしれない。

私としても、こういう話を本に書くのには勇気が必要だが、地球の人類のルーツになっている宇宙の種族が１２あるということらしい。ここでは「らしい」ということにしておく。少なくともリーダーは１２人いるようである。この１２人のリーダーは、ある時期に地球に大宇宙の中のいろいろな星からやってきたようなのだ。

ここでまず、リーダーというのはどういう人たちなのかということだが、文明を発展させることを計画している星には、霊的存在としてのリーダーが、普通は何人かいる。

昔は、このリーダークラスの存在が「神」であると思われていたが、実際は神ではない。まだ上のほうにいろいろな存在がいるということもあり、根源的な存在というわけではない。

地球の場合には、最上位に１２の席がある。席というのは象徴的な言い方であり、正確には、１２のエネルギーの柱が存在していて、この柱が組になってバランスを保持している。

この１２の霊存在は、惑星意識の下位にいる存在で、人間に宿ることができるという意味で、まだ人間霊としての属性を持っている存在であり、人間に生まれ変わることができる。ここより上に行くと、惑星意識とか恒星意識になり、もはや人間として生まれることはなくなる。

ここにいる霊存在が人間霊としての属性を持っているというのは、彼らが時々人間として生まれてくることがあるからで、たとえばイエスキリストという方は、このレベルの魂から生まれた存在だ。

もちろんあまりにも大きなエネルギー体であるので、そのままでは人間の体に宿ることはできず、そのエネルギー体全体のほんの一部だけを分けて生まれてくる。

ほんの一部という感覚を、数字で表現するのは難しいが、この物質世界にある体に入れるエネルギーには制約があって、元々のエネルギーが大きな魂でも小さな魂でも、地上の肉体に収まるエネルギー量は大して変わらない。だから大きな魂の場合は、生まれる時にエネルギーをものすごく絞らないといけないということらしい。

これはイエス様に限ったことではないし、お釈迦様でもそうだ。モーゼとか孔子とかゼウスのような方でも同じだ。

そして、ここにいる１２人は、大部分が宇宙の中の別の星からやって来ていて、別の霊系団を代表している。一人で来られているということはない。多くの仲間と一緒に来られている。

例外的にこの１２人の中の３人の方は、同じ星系からやって来ている。この部分だけ私が良く知っているのは、私もこの３人と一緒にやって来たからだ。

それと地球に来られている１２人のうちには、宇宙の中に、彼らの魂のルーツに当たる、大元の存在がいる可能性が高い方がいる。それぞれの方の事情というか、状況が皆違うようなのだが、私がそれを全て知っているわけではない。

ただ有名なのはイエス様の魂で、この方は天の川銀河の中心の意識から分かれてこられた方であると聞いたことがある。天の川銀河は愛の霊系団であり、これはうなずけるところがある話だ。だからかもしれないが、イエス様の生き方は気合が入っている。磔《はりつけ》になってでも愛を語るというのは、誰にでもできることではないだろう。

それともう一つ、この１２人が全てシニアな魂かというと、そういうわけではない。このリーダークラスになってから非常に長い時間が経っている方と、それほどの時間が経っていない若手の方がいる。

そしてこの12人の中で誰が地球規模のプロジェクトの主導権を握るかということについては、シニアの方がやるとは限らない。これ自体が、一つの学びというか、経験を積むということなので、若手の人に運営権を委《ゆだ》ねることもある。

最上位の12のポジションの下にあるのが、七大天使のようなポジションだ。ここで一番有名なのはミカエル大天使だが、私の見るところでは、ミカエル大天使の本体自体はもっと上位の方のような気がする。ただこういうポジションは誰が上とか下とかという格付けだけで決まっているわけではなくて、その人が何をしたいかということで選んでいるところもある。

その意味では、最上位のポジションにおられる方の中には、もう惑星意識になってもいいような方もおられるようだが、どのポジションに居るかは、その人自身の選択のようなところがあるらしい。

もっとも自分の実力がないのに勝手に上にいくことはできない。この実力を決めるのは、魂の中にある愛のエネルギー量というような表現をすることもできるが、別の見方をすると、それはどこまで本来の自分として目覚めたかという目覚めの度合いだ。

ミカエル大天使について言えば、彼の本体は宇宙の別のところにいて、地球に魂の全量を持ってきているわけではないかもしれない。そして、こういう事情は他の天使の場合も同じようなところがある。逆に、地球という星が宇宙の中の出張所のような場所になっていて、宇宙を代表される方たちが皆集われているということのようだ。

七つの愛の表現形

霊的なエネルギーの個性を表現する時に、本質的な種類がどのくらいあるのかということだが、そもそもこれを知ること自体が簡単なことではない。

全てが愛のバリエーションであるということもできるかもしれないが、愛の愛たる部分と、智の部分は明らかに違う感じがする。そして愛と智以外にも個性の柱がある。

理性的な思考の力は、哲学の領域と科学的な領域の二つがあり、これらは傾向性が違う。傾向性の違いで言えば、最も違っているのは、美を表現する領域だろう。

これは私たちの世界では芸術という領域だが、この自然界の表現の中に美があるので、この美も神の表現形の中の一つと考えなくてはならない。

こういうもの以外に、今の文明の中にある東洋的なものと西洋的なものを分けるものがあって、これも神の愛のエネルギーの表現形のバリエーションと考えなくてはならないだろう。

そして最後に来るのは力の原理である。何事も表現には力が必要であり、それが創造の根幹に関係しているからだ。

私たちが宇宙の摂理と呼んでいる、法則性を伴った宇宙への変化の方向性があって、これはカタカムナでは「マノスベ」と言われるが、この摂理が関わる表現がある。だからこういう諸々《もろもろ》のものを分類する必要がある。

こういうものは、人間の側からすると、自らの魂が体現する神性の側面として学び習得しないといけないものだが、この全てを均等にマスターするのは難しい。

私流にこれを分類してみると次のようになる。まあこれ以外の分類もあるかもしれない。

愛（仁）、智（法・叡智）、力（義・力）、和（調和、礼）、哲（哲学）、美（芸術）、理（科学）

神智学などでは、愛・調和・意志・叡智の4つは天使の位階の上位に出てくる。これは天使という存在でもあるが、根源的な存在である神の働きを分類している概念でもある。

エネルギー論的に見ると、こういう働きは単極の中に表現するのは難しく、独立のエネルギーの極として表現しないといけないという見方もある。一つの根源存在をどの方向から見るのかというふうに捉えることもできる。

これらの働きを相対的に次元の低い世界に投影する時は、分離して表すことになるということなのだろう。私たちの星にいるリーダー層の方々が、こういう力のどれかを持っていないということはないと思うが、逆にこういう力の中の特定のものを最も強く表現できるということはあって、専門的な領域をお持ちのようである。

人間に宿ることができる霊のいる五つの霊的世界の階層

地球の霊域には階層性があって、一つのフラットな世界だけがあるわけではない。というか、魂自体に次元性というか波動の違いがあって、霊的な実体として存在している時には、階層の違う存在は一緒にはいられない。霊的な存在様式には、波動の同質性という制約がある。

逆に、今我々がいるような物質的な世界に肉体に宿って存在している時は、存在の様式が肉体の波動で縛《しば》られているので、どのような魂であっても一緒にいることができる。そのために肉体に宿るのだ。

地球で表現されている霊域は5階層あり、この中の一番下の層が、霊人口が最も多い普通の人がいる霊域だ。一番上の層には12人のリーダーの人たちがいて、上と下の中間に3階層ある。

上から2番目の層は、大天使とか、仏教的な概念だと、如来の魂がいる層で、ここにいる方は総じて力がある方で、もし宇宙船の運航に関わるとしたら、艦長クラスの方である。このレベルまで目覚めると、霊力というものもひとりでに開けてきて、宇宙の中からエネルギーを引いてくることができるような力を持っている。宇宙船も母艦クラスになると、そのエネルギーは物質から取り出すのではなくて、宇宙の中にある高次のエネルギーを引いてきて次元変換をして使う。これができないと宇宙船は動かない。だからこういう力のある艦長が必要となる。

5　ルシファーとの長い戦い

この宇宙の前の宇宙

ルシファーとの戦いは、今に始まったことではなく、これは長い長い起源を持つ話だ。

現在の大宇宙、137億年前にスタートしたこの宇宙の前にも、前身となる宇宙があって、そこにもルシファーはいた。

この話を聞いたのは、2010年に湯沢で開催された、あるクローズドなセッションに参加した時のことで、その時に、このことが明かされた。

これは非常に衝撃的な話だ。実は前の宇宙、正確には、今の宇宙の直前の転生である宇宙の時に、ルシファーの動きの影響が全宇宙に拡《ひろ》がって、宇宙が暗黒の状態に陥《おちい》ってしまったのだそうだ。

宇宙全体の人が、ルシファーの思いに染まってしまい、どうにもならなくなってしまった。そこで宇宙の根源存在は、やむなくその宇宙を終わりにすることにして、あらゆるものを自らの元に引き上げ、その宇宙を消滅させたというのだ。

オリオン大戦

その後、現在の新しい宇宙が誕生してからしばらくして、宇宙を二分するような戦いが起こった。この戦争の首謀者はまたルシファーだ。

皆さんは、「スターウォーズ」というSF映画をご存じだろうか？　光の勢力と闇の勢力が宇宙を股にかけて戦う話だが、多くのシリーズが作られ、一世を風靡《ふうび》した。

この映画は単なる創作ではないところがある。それは、私たちの宇宙の中で、過去これに類した大戦争が実際にあったからだ。その戦争のことが、この映画の製作者にはインスピレーションとして伝えられたのではないかという話もある。

これは私たち地球人にとってはショックを受ける話かもしれない。というのは、宇宙の中を自分の星から出て飛び回れる段階というのは、今地球で言われているようなアセンションを迎えた後の段階であって、すでに精神性の低い原始的な段階を卒業して、愛をベースにして生きていけるようになった者しか宇宙には出て行けないはずだからだ。

宇宙の中へは誰でも出て行けるわけではない。科学技術とか霊的な力も含めて、あるレベルの認識力が必要とされる。一定のレベルを超えた科学のインスピレーションは、そのレベルの霊性が伴わないと、物質世界に生きているものたちに伝えてはいけないことになっているので、そういう未開の段階の種族は宇宙に出て行けないのだ。

今の地球の状況もそうであって、一見、科学は進んでいるようには見えるが、宇宙の中に本格的に出ていくほどの技術を、まだ地球人は地上の文明としては持っていない。

そこから考えないといけないことは、逆に宇宙を股にかける高度な段階にまで行っている種族が、なぜ宇宙規模で戦争をしなければならなくなったのかということだ。

ルシファーの言ったことに簡単にひっかかってしまったのはなぜなのだろうかということだ。ルシファーがあまりにも狡猾《こうかつ》であったということなのか、あるいは人間の認識が甘すぎたのだろうか？　その意味では逆にルシファーは、その種族の真の実力を試す大事なリトマス試験紙だということになる。

宇宙自体にも、人間と同じように輪廻転生《りんねてんしょう》があり、ビッグバンよりも前の生があって、そして一つ前の宇宙の中で、やはりこのルシファーについた闇の勢力と光の勢力との間で戦いがあり、その時には光の勢力のほうが負けてしまったわけだが、ここで一つ進歩があったとすべきなのは、前の宇宙では光の側が完全に敗北したが、今回は戦争を止められなかったということはあるにせよ、オリオン大戦では光の側が勝ったということだ。これは進歩と見るべきだろう。

こうしてみると、魂が永遠の存在であるというのは、すごくドラマチックだ。それからかなりの時間が流れて、地球の上ではルシファーの惑乱もあって、いくつかの文明が滅んでいった。

こういう状況の中で何が試されているのかというと、我々の魂の地力のようなものだ。

地球では、輪廻転生において、独自の面白いやり方をしている。

それは、毎回生まれてくる時に過去の記憶を消し、能力も消す。真っ白な魂にして生まれてくる。もちろんその魂の持っている能力の潜在性は、その真っ白な魂の中に残っている。ただ忘れているだけだ。そしてある文明の中で赤ん坊として生まれて次第に成長していく時に、自らの魂の潜在的な能力が次第に現れてくるようになっている。これは過去の人生の中で蓄えられたものが、未来で生きるプロセスの中で現れてくるということだ。種から芽が出てくるように現れてくる。

そしてここで大事なことは、一つの人生の中で苦労して手に入れたものは、その魂の足腰を強くしたり、あるいは感性を豊かにしたり、認識力の素地を強めたり、そしてもちろんその魂のモラルというか、人間性の中にも蓄えられている力があって、一生懸命頑張って最後それが報われないということがあったとしても、それは魂の力としては残っている。

ルシファーとの対峙ということでいうと、ルシファーの手口にどれだけ通じているかというようなことも、分かる人には分かるようになる。

簡単に言ってしまうと、何回も失敗しているうちに力がついてくるということだ。地獄に落ちてもカルマを作っても、そういう体験が全て無駄になってしまうわけでは決してない。

今地球に生きている人の多くは、そういう体験を通してここにいるということなのだ。そういう人には、私の言っていることが腑に落ちるはずだ。

これは言葉だけの問題ではない。長い長い、何億年、何十億年という悠久の時を経て、私たちが今ここにいるという意味なのだ。

この宇宙の中でも実にいろいろなことがあった。その前の宇宙も大変だった。その前もそうだ。そうやって生きてきた仲間たちが、今またここに集まろうとしている。その意味がお分かりだろうか？

私たちはそろそろ気がつかないといけない時期になっている。私たちがほんとうは何者であるかということにである。

一つ前の宇宙では全滅状態だったが、オリオン大戦では何とか光の側が勝利した。かなりの進歩と言えるのではないだろうか。そして今度はこれが地球に持ち越されたのだ。

地球での戦い

ルシファーという名の由来に遡《さかのぼ》ると、彼の元の名はルシフェル（Lucifel）だ。「エル」というのは称号のようなもので、大天使以上の存在しか名乗れない名前であって、ルシフェルは彼が七大天使の筆頭の天使であった頃の名前である。

「サタン」というのは、このルシフェルが地球で地上に生まれた時の名前で、この時の生き方が問題で天国に戻れなくなってしまった。というか、地獄に閉じ込められることになってしまった。

人間の体の中に宿って生まれる時は、このクラスの魂の場合には、その全てが宿るわけではなくて、ほんのわずかな部分が宿っているだけで、魂の大部分は上の世界に残っている。ルシフェルの魂も、大部分は上の世界に残っていたのだが、サタンとして生まれていた魂が地獄に落とされた時に、上に残っていた魂を、全部地獄に持っていってしまったらしい。

地獄に閉じ込められた魂は「エル（el）」を剥奪《はくだつ》されて、ルシファー（Lucifer）と呼ばれることになった。だからルシファーは、地獄にいる霊としては、非常に力の強い存在になってしまった。

まあ地球にはこれまでも地獄界はあったのだが、これを境にして地獄の領域が拡大し、地獄界の勢力が大きくなってしまったということだ。

これがいつ頃の話なのかというと、今から一億年以上前の話だ。

ちなみに、その当時は、地球起源の人類が、まだ十分進化している時期ではなかった。地球起源の人類が、理性を持つようになるのは、ごく最近の、レムリア時代以降のことだ。当時、一億年前に地球にいた人類は、当然のことながら、宇宙起源の人類だ。天使とか大天使とかというレベル以外にも、かなりの宇宙起源の人たちがいろいろな星からやって来ていて、地球としてはこういう存在を受け入れたということがあり、そういう人たちの末裔《まつえい》が興《おこ》した文明が存在していた。

そしてこのルシファーが地獄に君臨するようになったことが、その後の地球に大きな影を落とすことになる。

ちなみにそんなに力のあるルシファーを、なぜミカエルが地獄に封じ込めることができたのかというと、それはミカエル自身も大きな力を持つ存在だということもあるが、彼が「エクスカリバー」という剣を持っていたということがある。

そもそもこの剣は物質的なものではなく、霊的世界に存在する霊的なエネルギー体だ。宇宙の根源的な存在が創られた、神の力を宿す剣だ。こういうものが存在するというような話自体が、にわかには信じられないSFのようなところがあるが、作り話ではない。

だからルシファーは今は自らの力を全開できないし、自由に動くこともできない状態にある。

それでもこの地球の物質界と地獄界は近いところにあるので、彼の影響が私たちに働いてくるという現実がある。まあ意図的にそういう世界にしてあると言ってもいいのかもしれない。

ルシファーは人類の進化のために創られた存在

ルシファーのような、悪の権化《ごんげ》のような存在がなぜいるのかというのは、多くの人の疑問とされてきた。グノーシス主義の思想では、これが解決しないので「反宇宙的二元論」というものさえ登場した。

これは、どういう世界観であるかというと、「宇宙は、もともとは真の根源的な存在が創造した善の宇宙だったが、今我々が存在している宇宙は、別の悪の存在が生み出した悪の宇宙である」と考える。だからこの世界には悪が横行しているのだとする。

もとは善の宇宙があったというのは、私たちが本来は神と同じ力を持った存在で、愛の存在であるということなので、ここは問題ないが、悪を実在とする見方が独特なのだ。

これは、悪を霊的世界観としてどう捉えるのかという問題で、この部分の解釈をどうするかで、世界の見方が変わる。

グノーシスには多くの神話が出てきて、この遥《はる》か昔から伝承されている神話の中に描かれているものを私たちがどう理解するのかということだ。グノーシスは秘儀的なものを核にしている部分があって、個々の人が自ら霊的世界の中に参入していくということをする。単なる教えとしての宗教的なアクティビティではないところがある。

善悪二元論というのは、善の根本存在である神と、悪の根本存在である悪の神が存在して、その中間で人間が両方から影響を受けて生きているというような世界観だ。こういう二極対立の構図の中で世界を見る。

本当のところを言うと、宇宙全体の中を善と悪が二分しているわけではないので、こういう二元論というのは正しくない。

だが地球という星の上で起こっていることを見ると、悪の影響力には凄《すさ》まじいものがあって、善が悪にいつも負けているかに思える。少なくとも善と悪の両方が確かに存在していて「本来悪はなく光だけしかない」と言っても、本当のようには聞こえないところがある。

ルシファーの自我論

ルシファーは「自我論」が得意であると言われている。このルシファーの自我論というのはどういうものかというと、「我々は皆神の子であって、神と同じ力を持った存在だ。だから自らの中にあるこの力に目覚めて、自分の思い通りに生きて行けばいい」と言う。

このどこが違っているのかというと、これ自体は間違ってはいない。まあ初めから間違ったことを言えば、それがおかしいということに誰でも気がついてしまうだろう。問題は、これだけになってしまうことなのだ。

実はこれ以外にも大事なことがある。全てが分かった上で、自分に自信を持って自分の力で頑張るというのは正しいことだ。ではなぜこれだけになってしまうとまずいのかというと、一つはこの考え方には「自分」というものしか入っていないということがある。

ここに欠けているのは、自分が生かされている存在であって、大いなる力の中で生きていることを認識し、そしてその自分を生かしてくれる存在に対して感謝するということだ。

もう一つ大事なことを挙《あ》げると、それは他の存在への愛の思いだろう。この愛と感謝というのが、自らの思いを実現していこうという時に、前提になっていることを知らないといけない。

もちろん、人間の創造のプロセスを見ていると、人間が「自我」を持ったり、「自意識」を持ったりするようになるまでに、この創造に携《たずさ》わっていた方たちには、大変な苦労があったということなのだが、この自我を持った段階から、さらに高次の目に見えない存在への認識に向かうには、またもう一段の苦労があったということだ。

これは、精神性というか人間性というか、人間の人間たる部分であり、これに至る部分が課題になっているということを考えれば理解がしやすいだろう。

プライバシーの問題

今の地球では、人間は生きている時に他の人の思っていることがそのまま分かってしまうということはないし、逆に自分の思っていることがそのまま他の人に筒抜けになるということはない。思うということにおけるプライバシーが保たれている。

しかし、これが絶対的なことであるかというとそうではない。こういう状況は、今の地球の物質世界の特殊な事情だ。

霊的な世界においてはもちろん、宇宙の中でも標準は、思いがそのまま伝わるということであり、テレパシーは当たり前だ。

そしてルシファーとの関係で言うと、彼は人の思いを自由に読み取る力を持っている。これは地獄にいる人たちだけの特技ということではなくて、天国というか、天界にいる人たちの持つ力でもあり、皆こういう力を持っている。

だからルシファーに対峙する時は、自らの思いが全て伝わってしまうことが前提になる。何も隠すことはできない。自らの全存在で相手をしなくてはならない。心の中に少しでも恐怖心があればそこを突かれるし、少しでも虚栄心があればそこを突いてくる。

まあしかしよくよく考えてみると、この事情は相手が神近き存在であっても同じだ。ハイヤーセルフであっても同じであって、要するに何も隠《かく》すことができないということだ。でき心というようなことが許されないところがある。ガラス張りの中で全てを見通されているようなものだからだ。こういうことが分かっていないと、ルシファーには対峙《たいじ》できないかもしれない。

最後に、このルシファーの話をまとめておくと、アセンションの前に、オリオン大戦から続く課題に向き合わないといけないということだ。

地球人がこの課題を本当にマスターしているかどうかの試しがある。

これが、今の次元の物質世界を卒業できるかどうかの試金石になるだろう。イエスが荒れ野で受けた最後の誘惑に当たるようなものと言えるかもしれない。

6　龍族の秘密

龍は宇宙人の一種族

龍は実在する人類としての種族のひとつだ。

日本だと、神社とか仏閣に守り神のような形で描かれることがあり、自然の中には龍の名を冠《かん》した場所があったりする。

私たちの知る龍の姿は、蛇のような細長い胴をしていて、体をくねらせながら空を駆け巡るというものだろう。京都のお寺に行くとこの龍の絵が天井に描かれているのを見ることができる。

加納探幽の絵が有名だが、天龍寺の龍図は加山又造によって平成九年に描かれた新しいものだ。

この龍の実像は、ほとんど知られていないのではないだろうか？

実は、この龍というのは、地球に宇宙から多くの霊系団の代表たちが移住した時に一緒にやって来た仲間なのだ。

龍族も実は人間の仲間だ。大宇宙の中に存在するあまたの霊系団の一翼を担う存在だと言える。

プレアデス人とかシリウス人とかエササニ人は、天の川銀河の霊系団の中にいる存在だが、龍族の霊系団は、別の銀河の中にある。また全く違った傾向の個性を持つ人たちなのだ。

この龍族の魂がこの世に転生してくる時は、龍として生まれてくるわけではない。普通の人間の体に宿って生まれてくる。

まあ他の宇宙人が生まれてくる時でも状況は同じであって、それがこの地球における醍醐味だろう。同じ地球人として生きることができる。

そして少し具体的なことを言うとすれば、私の知人の中にこの龍族の人がいる。彼とは深い縁があって、アトランティスの末期に生きていた時に、仲間の一人であった人だ。当時は並々ならぬ霊力を使いこなしていたが、今回の人生では霊力は封じられているようだ。さすがに独特の個性をしていて、普通ではない感じを漂わせている。

生命エネルギーの源

龍の星には、この大宇宙の中にある、特別のものが守られている。生命のエネルギーの核となるエネルギーだ。カタカムナではこれを「ミスマルノタマ」と呼んだが、このエネルギーを龍族が守っている。

宇宙の中にはいろいろと不思議な場所があって、いろいろなところに大事なものが隠されている。この生命エネルギーの核となるエネルギーは、ルシファーがオリオン大戦の時に狙《ねら》っていたものの一つであり、これがあると、人間を創り出してそこに命を吹き込むことができる。

これはアストラル胚と同質のエネルギー体ではないかと私は思っているが、生命体を創り出す時の核になるエネルギー体である。

次元を超える力

龍族の持つ独特のエネルギーとして、次元の壁を通り抜ける力がある。

普通の霊存在は、自ら認識できる次元の世界にまでしか行けない。そこから下の世界には移動できるが、上の世界には行けないのだ。

しかし龍族は、こういう制約を受けないらしい。超次元的な霊力が強いらしいのだ。創造力も強いし、戦う力も強い。だから、どうしても守らなければいけない大事な存在がいる時には、常にその人の側にいて、守護をすることもある。天候とか自然に対しての力もある。

龍は、人間の体に宿っていない魂としての存在である時は、あの世の住人だが、それでも特技があって、空の雲に自らの姿を映し出すことができる。

私がどこかある場所を訪れると、その場所に素晴らしい姿を現してくれる。そして合図を送ると「すーっ」と消えていく。

龍族にも多くの仲間がいるようで、龍族の長の方と、その方に従う配下の方が群れをなして現れることもある。

その気になれば、天候を整えるなどということは苦もなくやってしまうようなところもある。本来は科学系の魂である私とは対極的なのだが、それでも結構近いところにいるような気もする存在だ。

第4章

霊性に裏付けられた科学

——宇宙存在からの問いかけ

フリーエネルギーなどの進化した科学技術は、アセンション後に、そのためのインスピレーションがやってくる。誰かに教えてもらうというよりは、地球人が自ら開発するという形をとる。

その前に、地球人にはやることがある。それは地球人の一人ひとりが、本来の自分に目覚めることである。

そうすれば、私たちの心から、怒りや恐れや争いの種となる思いがなくなり、新しい段階に入ることができる。

1　宇宙との通信機

板野：　今、このメッセージを伝えていただいている方の意識って、すごい高い次元ですね。

A：　すごい高い。あなたがいるから、来たんだと思う。多分私だけだと来なかった。面白いわね。

板野：　この宇宙の、なんか、過去、未来の中を、どこにでも行き来できるような。我々の宇宙を最後超えてしまうようなところもあるんですか？　そう、その方の問題なんですね。

A：　この方は、この宇宙の中はどこでも行ける。で、この宇宙の個性を認識している。

板野：　でも、人霊の方？　宇宙意識とかではなくて。

A：　人霊。たとえば、どんなことを聞いたらいい？　あのね、こういう人いるんだなあ。宇宙全体の各エリアを統括している人がいる。その中で、銀河宇宙の責任者。

板野：　銀河宇宙の責任者？　銀河意識とは違って、銀河宇宙の発展みたいなものを指導してらっしゃる方？

A：　そうそうそうそう。そういう査察官とか、なんていうのかなあ、

板野：　スペース・エンジェルよりももっと何か？

A：　スペース・エンジェルの中でも格の高い方。なんかマント着ている。光のマント。

板野：　光のマント？

A：　すごい人、偉い人かも。

板野：　このコスミック・フルート（銅柱）の効果というか、空間の中に・・・

A：　（コスミック・フルートは）我々とあなた方がコミュニケーションするために、あなた方に与えた通信機でもある。われわれとコミュニケートせよって。あなた方が欲しいと思う情報、理解できる分に応じて、授けようって言っている。

板野：　すごいですね。理解できないと困る。

A：　あなたが理解できなかったら、今の地球人は理解できないよ。

板野：　そうですね。うーん。

2　生体エネルギーとコスミック・フルート

遥か過去の友人から

ある日、何億年も前の遥かな過去に、私と一緒に地球の環境を整えるために働いていたという方が現れた。もちろん、私には当時の記憶はない。そもそも、科学的には、人類はこの地球上でサルから進化して発生したのだということが言われているわけだし、何億年も前に、高度に発達した人類が地球に存在したなどというのは、ファンタジーのように思われても仕方がないかもしれない。

この方は自らの名前を名乗らなかったが、私とは出身の母星が違うのだそうである。彼の母星も、私の出身の母星も、この天の川銀河の中にはない。はるかに離れた別の銀河の中の別の星であるらしい。

私たちは、別々の星の出身だが、それでいて、そのどちらの星も文明が非常に進んでいる星で、大宇宙の中を自由に行き来できる科学レベルに達していたし、宇宙船を使わないで移動することのできるレベルにもあった。そういうことは、今の地球では受け入れがたい話であるが、一定以上進んだ星では、珍しいことではなくて、当たり前のことであるようだ。

私たちは、そういう星から、この地球にやってきて仕事をしていたということらしい。そしてそういう風に言われると、なぜかあまり違和感が湧《わ》いてこない。当たり前のような気もしてくる。具体的に何かを思い出せるわけではないが、明かされた世界観の中に順応している私がいた。不思議なことである。

ここでは、この方からいただいたメッセージを載《の》せていく。そこでは、私自身が、自分の母星にいた頃にどういう仕事をしていたのかが明かされている。驚天動地《きょうてんどうち》のような話であるが、言われてみると、妙に納得してしまうところもある。

このメッセージは、二〇〇八年の十月に取られた。この時はコスミック・フルートが活躍してくれ、霊媒役のAさんの協力があったことを付け加えておく。以下のメッセージ中で、Aさんというのが霊媒役の女性である。

生体エネルギーは存在のエネルギー

A：　生体エネルギーは、存在のエネルギーである。我々が補充できるのは、活動エネルギーだけである。何ごとにも例外はあるが、普通はこのようなことはしない。それだけの、いまは大変な転機に来ているということ。あなた方の世界に、異次元と交流できる、そういう装置なり、コミュニケーションできる手段が形成されていたら、このような危険なことを通してメッセージをとらなくてもよかったのにね。どの異星人たちでも、生体エネルギーをそれぞれ持って生まれてきていますよ。だけどその生体エネルギーを使い込むようなところまでの仕事はめったにしないよ。

板野： ということは、宇宙的科学が進んでいるところでは、チャネラーというような人が生体エネルギーを使い込んでやらなくても、科学的な方法で磁場を作ってやると、交流ができるということ？

A： 誰か特定の者がチャネラーということではない、皆がチャネラーです。皆が心の中で一つになり、結びつき、交流でき、大宇宙の意識と皆が一体感を持って情報を得ることができる。誰か一人だけ、特殊な人が伝えるというのは、常に、まだまだ未開な星の文明にあるということである。その場合は、それだけその星の精神波が粗く低いから、当然その星の肉体も粗く波動が低い。そこに、粗く低い、低い波動の肉体を持つ者たちに、高次元の精妙な細やかな、そして強いエネルギーが、その肉体に降りたら、どうなると思いますか。当然粗いほうの肉体は破壊されてしまう。そして粗い、私たちから見ていると、土で作った土偶といわれる、あなた方の人形があるでしょう。土偶の中に魂を入れて動いているように、私たちからしたら見えます。その土で作ったぼこぼこの重たい肉体を引きずり動いている。そこに精妙なところからの言葉が、それを強く無理やりこじ開けて流したらどうなるかっていったら、流したところに亀裂が入り、そのエネルギーは多く消耗される。それがこの者に起こっている状態です。土偶には土偶を動かすだけの生体エネルギーが入っている。だけれども高次元からのメッセージを言語化するのに非常に多くのエネルギーを必要とするのです。その生体エネルギーまで吸い上げる形で翻訳されていくのです。

A：それに、その土偶の体が弱ったから、そこにもう一度生体エネルギーを入れたくても、もともと粒子が粗いから、そこを動かすエネルギーと、われわれの次元で使っている精妙なエネルギーとでは質が違うのです。なかなか思うように補充はできない。

地球起源のエネルギーが、生命体としての肉体に宿るのに、その物質化する瞬間に、そのエネルギーが封じ込まれ、出るということです。ただ素材が違うから、我々のほうから、その素材の中に込める霊的な生体エネルギーだけを入れるというわけにはいかない、そういったことがあるのです。

単なる活動エネルギーであるのならば、食べ物とか、休息とか、そして私たちのほうからでも入れてあげることができる。活動エネルギーというのは、あなた方の自動車でいうならば、ガソリンを入れるようなことであるのです。ガソリンを入れるのならば、ガソリンスタンドでも、入れられるでしょう。でも、そのようなものではないのが生体エネルギーです。

あなた方の物質を、それぞれの星のマテリアルにおいて存在した時に、その星の物質と一緒になって、そこに入り込んで入れられる。それが生体エネルギーの正体なのです。

三次元で、その地球であれば、地球で働く使命が終われば、それは肉体とともに、また、地球自身の惑星の土くれとなっていく。そういう存在でもあります。生体エネルギーの基礎となっていく、エネルギーだということです。でも何事にも例外はあるのです。

我々の世界からも、できるだけ応援をしていこうと思っています。どうですか、このコスミック・フルートとMRINGを扱ってみて、あなたの感想はどうですか?

板野：　うーん、とてもなんというか、我々の世界にない新しい力を発揮してくれているような印象がありますね。

A：　決して、これは新しいものではなく、昔から宇宙の中では使われていた基本的原理です。あなたはこのコスミック・フルートの使い方をよく知っているのですから、思い出してみてください。我々はある程度の技術提供はできますが、それを地球人自身の中で、どういう意味を持たせ、どういう風に使いこなすかは、地球人自身の自覚と目覚めによります。このエネルギーは生命エネルギーに基《もとづ》いていくので、ただ、さまざまな植物の種子を発芽させていく時に、その種全体の宇宙により作られた根本的な力を、より引き出しやすく、実りやすくさせていくという力を持っております。いかようにも応用できると思います。

板野： 生命の原理のほうに関係しているわけですね。

A： そうです。

板野： そういう意味で、以前に伝えていただいているエネルギーを取り出す装置とは、また別のものなのですね。こちらは、生命系の、生命そのもの、女性原理に関係しているのでしょうか。

植物の適応性を助ける装置

A： 宇宙の原理は、別に、女性原理、男性原理に偏《かたよ》ったものではなく、もっとトータルな根本原理であります。ですが、生命を育むということが女性原理であると理解していくならば、確かに女性原理のバックアップをする力の強い装置であると言えることでしょうね。

あなたは、植物がどの大気の中で、どの惑星の圧力の中で、最も良く発芽し、酸素や必要なものを持つことができるか、それをこの装置に入れることによって、各種植物の生命エネルギーのコントロールを研究されていた方ですよ。そのように調整しなければ、さまざまな条件の惑星に、あなたの母星の植物をただ持っていっただけでは、みな枯れてしまうのです。

その時に、その惑星の波動、そういうものに合わせて植物の原型を発芽させる、成長過程を生命エネルギーのコントロールをもって、その種を最もその星にふさわしい種類へと、突然変異のような形で調整していく、そういうことを調整してから、いろいろな惑星に持っていく、広げていく、それをあなたはやっていた方です。この装置の使い方をよく知っておられると思いますよ。

板野： 私の母星にこの装置があったのですか。

A： あったのです。それをあなたが使っていたのです。植物を、過去、さまざまな星々に届けるための調整をしていたと、私は申し上げているのです。忘れましたか？

板野： 覚えていません。

A： あなたの母星にある植物が、どの惑星に持っていっても、みんなすぐ根付くとお思いになりますか？　無理でしょう。でも、生命の植物の根源的なエネルギー、発芽していこうとするエネルギー、そこでそれぞれの惑星の波動に調整してやることによって、それぞれの植物は、その環境の中で適合し、発芽、成長していきます。そこのところに、ひと手間加えて、調整してあげるということは、それも深い深い生命の根本原理に対する愛であります。そのような仕事をあなたはしていたんですよと、私はあなたに申し上げているのです。

板野： 植物の場合も、生体エネルギーというものがあるんですよね。

A： もちろんです。

板野： 生体エネルギーのところと関係しているんですね。

A：　生体エネルギーをどのようにしたら、最もその生命体にとって、よく発芽できるように、成長できるようになるかという、そこのところの自然の、大宇宙のエネルギーに合わせる、同調させていくことにより、可能にしてくれるということ。

A：　生体エネルギーのプログラムというか、環境へのアジャストというか。まさに、アジャストするということ。このコスミック・フルートの上にある銅球が、宇宙の根源エネルギー、神の大いなる生命エネルギーへと変換する装置なのです。下は、その生命体が持つ力を、最大限に引き出し、引き上げて、吸い上げていきます。

ですから、植物の種を、このコスミック・フルートの下のところに入れると、その生命体の持つ力を吸い上げて、その種の個性の力を最大限に引き上げていき、上に乗せた銅球により、宇宙の根源的な神の力と、そこと適合できるようにしていった時、その植物の、その本来の力の、その星のエネルギーへと変えていくことができるのです。そこの変えていくところの調整を、あなたがやっていたということです。

それには、もう少し、さまざまなものが必要でしたけど、大きくいうと、そういうことです。その中の根本的な生体エネルギー、大宇宙のエネルギーと同化することにより、この者の生命エネルギーの基礎である生体エネルギーを、大宇宙のエネルギーに同化していく過程の中で、本来の健全さを伴う力へと復活させていく、そのために、今、この装置を与えられているのです。電流、パルスというのは、その力を増幅する能力があるのです。ですから電流を流したほうがいいということです。少し分かりましたでしょうか。

板野： パルスはどういう原理で増幅しているのでしょうか。神経のところに作用しているのですか。もっと一般的に、身体全体の生体エネルギーの波動に調整しているのでしょうか。

A： 全てが、全ての細胞自体に影響していますけど、この方の場合には、この傷ついた脳神経のところの修復、そこに多く流れています。調整しているように思います。

種の中でも、DNAがあるでしょう。その惑星の中で、たとえば、大気とか重力とか、あと、物質の精妙さ、物質の質量の大小により、どのような気圧とかの中で、発芽できる状態にしたらよいか、そのDNAの中の一部に入っていき、そこをコントロールする力があるのです。その惑星わく星によって、コントロールする場所が違うのです。だから、それを病気治療にあてる場合は、その生命体の中で、どこを一番治していったらよいか、本来の大宇宙との調和できるバイブレーションに立ち返すことができるかという風に、この装置は働いていきます。だから、あなたがたの世界でやっているような、野蛮な外科治療のようなことはなくても、調整をしていくことで、できるようになるのです。よろしいですか。

板野： 分かりました。

A： 上手に説明できなくて、ごめんなさい。あなた方の技術が、どの程度かということが詳しく分からないので、何かやっていて質問があったら、私たちに聞きなさい。あなたにできる限りの技術協力を提供したいと思っています。われわれに質問ができるようになるのは、難しいでしょう。難しいです。

板野：いま、私が認識できている部分の知識というか技術があまりにも低いために、見えないところが多すぎるのかも知れません。

A：あなたの認識とあなたの技術が低いのではなくて、今の地球の科学の水準があまりにも低いために、そのようなギャップが起きているのです。でもあなたは知っているんです。それを申し上げている。がんばってみてください。

板野：分かりました。よろしくお願いします。

A：よろしくお願いします。初期のころ、地球環境、そして、生命体、あるいは、植物、人体への科学技術の粋《すい》を集め、今日の地球の状態に、一緒に努力した仲間であります。とても懐かしいです。また、こういう形にせよ、ご一緒に仕事ができることを嬉しく思います。星を越えて、我々は、共にがんばってきた仲間であると、そのように思っております。

どうか、今の地球を見事シフトアップさせて、今まで、われわれがやってきたことが、真に神の星建設のために、お役に立つその瞬間を迎えようではありませんか。それには、地上に生まれた、あなたのような方の力も必要かと思います。地上にいる方々と、私のように、地球人の肉体に宿らずにいる者たち、宇宙人と呼ばれる形態でいる者たち、また、地球霊界の方々と皆で手を取り合い、成功させたいと思います。

この装置に電流を流すと、我々と交信しやすくなります。あなたの場合も、霊道が開いているから、この装置の下でやっていると、我々と通信がしやすくなりますよ。でも、くれぐれも、注意して扱ってくださいね。

では、今日は、これで帰ります。

3　コスミック・フルートの原理

コスミック・フルートは、万能の磁場共鳴装置なのだが、特に、地球のアセンションに際して、地球自体の波動と肉体の波動の不整合が起こった時に、身体の波動を調整するツールとして使えると言われている。

身体の波動を調整する宇宙起源の技術は、もちろん他にも世の中にあると思うが、この装置は、私が他の星にいた時に、仕事で使っていたもので、個人的に特に縁が深い技術であることもあり、私を通して下されたものだと思う。

現在、コスミック・フルートは13個製作しており、そのうち数個は、私に縁のある方の手元にあり、それぞれの方の宇宙的な仕事を助けている。

製作には高度な技術が必要であり、本当に有効な使い方を確立できておらず、かつ興味本位あるいは悪意で使用されることの危険性もあるため、現時点では、一般の方の手には入らない状況だが、時が来れば、誰でもが使えるようになると思っている。

ここに掲載するのは、私が自分のガイドから、コスミックフルートの原理を受け取った時のメモである。

コスミック・フルートについて詳しいことが知りたい方は、拙著「セラミックとピラミッドとコスミック・フルート（統合版）」をお読みいただきたい。

『垂直に立てることの意味：これは、地球というものの存在と関係している。

地球という存在が、球体として存在している時に、ここから一つの磁場、エネルギー磁場が放射されている。これは、地球というものの物質の体を存在させているエネルギー磁場と関係がある。地球意識よりは低い次元に多層のエネルギー磁場が存在している。

あるものが三次元世界に存在する時には、一つの高次のエネルギーが縮退《しゅくたい》していって、凝縮《ぎょうしゅく》していって、固まっていくのであるけれども、この存在せしめんとする力があって物となっている。

三次元世界における素粒子や原子の構造というものができあがっていくとともに、この構造の核になるものがあるが、この核となる素粒子や、原子、電子などの存在によって、この世の物というものができあがっていて、この時に、その存在をあらしめるエネルギーのところから色々な力が漏《も》れている。

この力の原理は物理的な法則として働いていて、これはこれで、この世界がどのようにできあがっているかという一つの法則性の中にあるといってよい。

そして地球という球体の存在がある時、この中心から放射状に伸びる方向というのが、求心的な方向であって、この方向に向かってエネルギー、力が働いている。

地球という三次元存在の上にこのコスミック・フルートを立てるということは、この表面でこの力に沿った方向にコスミック・フルートを立てることを意味している。

これによって、地球自体との共唱が発生する。

コスミック・フルート自体は、立ててあると、水平方向、X－Y平面内では、完全に対称性を有している。

そして下部の空間と上部に乗っている球体との間で、実《じつ》と虚《きょ》というか、物の存在しているということ（球）と、空洞部分は物が存在していない空間としての形との間で補強が発生し、共鳴器ができあがる。

今、あなたが得ている４０９６㎤という容積は、地球という惑星の大きさと関係があり、全体の実部分の容積が地球とのバランスで存在している部分となっている。

コスミック・フルートの筒状の部分、円筒状の銅の存在している部分の役割は、これは内側の空洞とこの外筒部との間で、ここも共鳴器になっている。

重力構造線が上下に走っている中にこの円筒を垂直に設置すると、エネルギーのラインが発生する。

共鳴するエネルギーの次元というか、存在の様式は、この構造物の対称性と関係する。（地球の場合は自転軸を中心にして右回りに回転している）

この円柱部（実）（α）が上部の球体（β）、中心の空洞（γ）を通じて共鳴している。

αとβとγの比率が重要。

これはピラミッドなどと同じく円柱と球の場合における比率というものがある』

4　認識が神の実在に触れる道筋

板野：　そういえば、一年ほど前、「科学を超えて」という本を書こうとしていた時に、その中で最後だけ残した章があって、それが存在と認識という章で、その時は、やっぱり今ほどよく分かっていなかったので、でも哲学的ないろいろな話のところから、出発していって、でも哲学者が言っている存在というのは、観念的なものが多分にあるので、でも何か本当は何か、実質があるんだというような展開をしようとして、その時は、百パーセントはうまく展開できなかったんだけど。でもこの状況になると、完全に書き直さないといけない。いろいろなことがかなりはっきりつながってきた。もしこれが実感としてつかめるところまで行ったら、パーフェクトな感じがするんだけど。最後、文章としては書ききれないかも知れない。

A：　できるよ、板野さんなら。地球人の認識に表《あらわ》して。

板野：　何とかしないといけないですね。地球人の認識に表さないと。

A：　そのためにあなたは今回肉体を持って生まれたんでしょうって言ってますね。やっぱり肉体を持って地球に、地球人として出て、地球人の認識レベルで話をしなければ、だめなんだって。

板野： だからあの、哲学の領域で言うと、今一番なんというかこう、歴史的に一番有名で、観念論的なところで有名で最後のところあたりは、カントだとかヘーゲルのあたりなんですけど、カントがすごい頑張ったんだけど、超えられなかったことがあって。

A： 純粋理性批判とか。

板野： そう、要するに、彼は神の証明ができなかったのね。

A： ねえ、あれもう読んでて、いやになって。

板野： で、正直なところそうなんだと思います。だから理論的にこの世的な知性を汲み上げていった時に、神の証明ができない、証明ができないものが神であるというような話になっちゃったんで。で、やっぱりなんていうか、哲学的な世界が難しくなっていっちゃって、それで、それ以上いかなくなって。それでエマーソンは初めから神を認めるところから出発した。だから逆にそういうジャンプをしちゃったために、良かったんですけど、でもエマーソンの部分も、難しかったんだろうね。影響はすごくあったんだけど、科学のほうの価値観のほうが、その後、オールマイティになってしまって、エマーソンが認識できる世界を認識できる人がいなかったのかも知れない。そのあたりのところですからね、哲学的なところで力のあった人たちというのは。その先が、ここにつながってくるんだと思います。認識というのと存在というものを、今度は観念的な世界ではなくて、これが実在なんだということを言わなくちゃいけない。

A： そう、existence（イグジステンス）、実在。

板野： 実在なんだということを。観念的なものではなくて、実際存在している我々の、なんていうか、魂にしても神にしても、なんて言うか、意識としても、実在のものだという。

A： そう。

板野： その部分が、すごく一番大事な話で、そこを受け入れられるか、受け入れられないかという話が、これからバトルになる。一方ではね。だから、過去の価値観を打ち破らないといけないところがあって、超えるということではあるんだけれども、うーん、あの、原理的なところが証明できない世界なんですよね。これがずっと見てて、糸口が、科学的な方向から見ていて、全然ないわけで、我々の精神波で、精神波でなんとかいろんなものを制御したり、いろんなことをやっていかないといけない世界というのは、今の科学の世界を完全に超えている世界だから、もうダメなのね。いまのところでは、やりようがないんです。

A： じゃあ、青虫と同じなんだ。

板野： そう、次元をジャンプしなきゃいけないのね。

A： そう、縦と横とでうろうろしてても、見つかんない。もう一歩上のところに。

板野： もう一歩上のところに行かないといけない。そこに行けるかどうかというのは、やっぱり、人間が魂としての存在、神の子であるということを、意識体としての世界というのを、まず認めないと、そこまで認識が上がらないと、次の世界に行かれないですよね。だから、その話なんですよね、これから先は。いずれにしても。どういう表現の方向からやっていくかという順番はありますけれども。それで、だから、こういう世界になっている。

5 五番目の次元の軸は波動

A：もう一つ別の座標軸が波動なんだって。

板野：波動なんですね。縦横高さ時間に対する五番目の次元の軸が波動。

A：そう、その波動のバリエーションを絞って、固定化すると、その世界にぴゅーんと動く。そこに存在できる。そこに波長同通の法則、理論がある。だから、何十次元とかの世界に行くことは可能だけど、その人の、そこの世界を覗《のぞ》けるかどうかは、その人の魂が持つ愛の波動の精妙さ。すごく、私たちが今回言っていることだけど、すごく稚拙《ちせつ》なことのように見えるけど、そこが原点になる。今見てるのは、何の世界かなあ。お月様の世界かなあ。それで次、恒星意識の、太陽の世界が見える。みんなね、世界、世界を持ってる。周波数が違うの。テレビの画面を見ているようよ。

板野： ふーん。

A： チャンネル合わせるでしょう。そのチャンネルに似てるかなあ。で、どの世界のことも覗けるけど、覗く時は、その世界の認識に合わせなくては覗けない。鏡を見るように、これね、鏡よ、下から上を見ることは難しいのよね。

板野： ですよね。上から下は見えるけど。

A： 今になって地球は、何をやっとるんだなんってね。なんか、そこの世界との通信装置。

板野： だから、これはすごい装置なんですよ。

A： そう。今、このつながっている人は、この世界は何なのよって感じなんだけど、私もこのコスミック・フルートがなかったら、こんな風に通信ができなかったと思う。向こうもね、何かこう、すごく楽しみって言うか、興味津々《しんしん》、興味津々で、覗いてる。

板野： 試されてるところもあるわけですよね。

A： うーん。

6　肉体にいながら別次元に移行する

A：　だから、こないだ青虫の例を言ってたでしょう。縦と横ににょこにょこやってて、それを上から見て、縦横しか、二次元の高さという視点を持ってないからびっくりして、それと同じようにあなた方も、もっと次元の別の視点から見たら、分かったら簡単なことなんだよって。時というものに支配された世界に、それは自分の内側の意識の解放と目覚めによって、自分が愛のバイブレーションそのものだと思って、愛を精妙に高めていけば、多重構造の宇宙のどこにも、自分が精妙になったところに、いくらでも存在できると。

板野：　そこまで行くんだということですね。

A：　うんうん。

板野：　人霊のレベルでも。

A：　うんうんうんうん。それがアセンションかも。

板野：　本当の意味のアセンションというのは、そういうこと。

A：　うん。

板野：　これから地球が迎えようとしているアセンションに行くぐらいの話は、まだ小学校とか中学校くらいのレベル。

A：　『まだ入り口だ』って言ってるの。『創造のエネルギーというのは、それは愛の意識、精妙さに準ずる』

板野：　うーん、やっぱり自分を縛ってるんですね、そうすると、これが自分だと思っている思いが。確かに、でも、下から上に行くのは大変なんですね。上から下に降りてくるのは、そんなに難しくはないかもしれないけど。一回低い次元の認識になっている状況から、上に向かうのは。そうか、本当は自分自身の中にあるはずだから、それを取り戻せばいいでしょうけど。

A：　『そのとおり』

板野：　この体の中にいることに慣れすぎたのかも。

A：　『あなたは忘れたのか』って。

板野：　何回も、そういう風にいろんな方から言われました。(笑)

A：　なんか全然別の宇宙が、板野さんがさ、こうやってると、話しかけてくるの。

板野：　だから、なんなんだろ。こういう、なんていうのかなあ、知識というか、どんどん知っていく部分の、ある種の観念的な理解の積み重ねじゃないですか。それと自分自身がね、実際に体験できるところまで、本当に魂を解放して、それ自身になりきれるようなところを、ある部分やらないと、ずっと観念論の世界になっちゃうから、そういう努力をしなきゃいけないですね、ちょっと。百パーセントじゃないにしても、多分、人間の中に宿っている間に、全てを知ることは多分できないだろうけど。ほんの一部でもいいから、それをやっていると、全然違ってくるから、世界が。本当はできるはずなんですよね。肉体の中に宿っている時に、それをどのくらいに、どこまでできるかということが大事なんですかね。そうなると。

A：　肉体にいながら、別次元に移行する、その殻を破ることをするのが、宇宙的なエネルギーのバックアップ、それがみずがめ座の時代。

板野：　死んじゃってあの世の世界に行っちゃったら、天界に、意識の世界に戻っちゃったら、できて当たり前ですよね。そうなると、三次元のところにコンタクトがなくなっちゃうから。その意味だと、三次元のところにいる時に、そういう部分に同通していければ、確かに、それがアセンションの方向に向かう話ではありますね。

A：　不思議な感覚かも知れないけど。

板野：　それが全てのところにつながっていくんだ。エネルギーに関しても。

板野：　今、宇宙の方から言っていただいている話っていうのは、ずーっと高い認識の話ですね。

A：　地球人の霊的なものの目覚め、

板野： 霊的な目覚めというものを、

A： 神の子のエネルギーの目覚めとして見た時、それぞれが無尽蔵のエネルギーを手に入れることができる、それは認識と目覚めと愛の波動の精妙さ。それがあなた方がいる空間を決定する。ということを言っているので、その後の地球の化石燃料に代わるエネルギー資源の話とは違います。

板野： それはそれでまた別にやらないといけないということですね。

A： やることいっぱいあって大変ね。

板野： なかなか面白そうですね。（笑）なんかあれ、課題のレベルが、なんか、ずーっと上のほうに上がってきたような感じがしますね。

A： この宇宙人が言おうとしていることは、私の今までの認識とは、また違います。

板野： 違いますね。多分、惑星レベルの学びで目指しているところを乗り越えて、なんか究極にある話ですね。地球で住んでいる人というか、地球の磁場にいる人たちが目指さないといけないところというのは、それはそれとして、それとは別に、究極の、もっと先があるんだよっていう。

A： そう。ものすごい、もう。宇宙があるでしょう。宇宙の図面みたいなものがあって、そこに太陽系とかがあるんだけど、ものすごく多重構造になっていて、あの何だっけ、ディズ

ニーランドとかで飛び出すのがあるでしょう、

S：　映画とかが、この辺にいるみたいに見えたりする、

A：　あんな感じ。

S：　うーん。

A：　で、その中のどの一点にあなた方は意識を合わすのかと、存在をすることを望むのかっていうことを、私たちはさ、太陽系とかの、太陽系の見えているところだけが存在すると思うでしょう。でも、別次元もたくさんあるんだよって。エネルギーとして、どこにでも存在できるよっていう、新たな時空の座標があるということに気づきなさいって、いうことを言っている。

板野：　こういう話をね、ＳＦじゃなくて、本当の意味でリアルに伝えていただいているというのはすごいですね。

7　肉体の再生の原理

切り落とした指は生えてくるか？

これは二〇〇九年六月にAさんが語った内容である。一部はメッセージでもあるが、霊人による語りではなくて、Aさんに伝えられた内容を、Aさんが自分の言葉で語ってくれているという形になっている。

半分雑談のようでもあり、半分メッセージ性を持った内容にもなっている。これは車の中での会話を録音したものから文章を起こしたが、雑音が多く、音源としてはあまり良質ではなかった。そういう状況であったということである。

この時は、一度傷ついた体が、そもそも再生し得るのかということについて話していた。彼女の体の中で傷ついていた体の部位は、脳の中の黒質線条体という場所と松果体である。これは、霊媒役として働く者が、高次の存在からのメッセージを大量に取ろうとする時に、体の中に負担がかかり、その結果として痛めてしまう典型的な場所なのだ。

こういう事実自体が、今の医学では知られていないが、現に事実として、こういうことがあるということだ。そしてAさん自身が、このころはこういう問題を抱えていた。

このときは、新橋のリハビリ用の施設に行った帰りで、車の中で話をしていたので、雑音が多く、その時の事情で、残念ながら最初と最後が切れてしまっている。以下、Aが霊媒の友人である。

上皮細胞が抑制している

A：上皮組織ができるのを防ぐんだって。
板野：うん。
A：みんな人間は、指切ると生えなくなるでしょう。
板野：うん。
A：それは、上皮組織が、作ろう作ろうとして、でも体はね、DNAで、原爆とか放射能の影響で、DNAを破壊された人って、いくらやろうとしても、細胞が復元できなくって、どろどろになっちゃうじゃない。DNAの設計図が復元されている限り、人間の体は、元通りの設計図通りに作ろう作ろうとする。そういう力があるんだって。
板野：元々再生能力があるって話は、何回も聞きましたね。
A：それで腕でも足でも生えるんだって。でもその上から上皮組織が覆《おお》って、それを防いじゃうんだって。

板野： じゃあ、覆わなければ大丈夫？

A： 覆わないように、覆わないように、それで、それを守る力が、豚の睾丸の粉にあって、それをすると、ほんとうにね、少しずつだけど、ちゃんと肉が盛り上がってね、骨もできてね、形も元通りね、同じ中指とか薬指が、爪まで元通りに生《は》えてくるの。人間、そんなことできたんだって、私がすごく驚いてた。驚いてただけだったんだけど。そして、今日やってたら、痛いな、痛いなと思って、そしたら、人間の体には設計図があって、自然の自己治癒能力があると。私の破壊された松果体も線条体も、元に戻ろうとする意欲がある限り、復活していくんだって。

板野： うん。それを刺激しているんですか？（新橋のリハビリでは、体に鍼《はり》をさして電気を通していた。）

A： そう。

板野： 電気パルスは、その部分の刺激もしているんですか？

A： そうなんでしょう。

思いで否定してはいけない

A： それで一番いけないのは、上皮組織で覆うっていうことの代わりに、思いがね、元に戻ろうと、もう一度頑張ろうと、そういう前向きの根性がお前には足りんみたいな。自分で、自分の肉体の終わりを、自分で封印していけば終わってしまうって。

板野： それって、どなたが？

A： 分かんない。

板野： 医療系の方？

A： うん、もうちょっと、厳格な怖い感じの、おじさんだった。（一同・笑）

板野： あ、専門の方なんだ。

A： うん、そう、東洋医学っぽい感じの人だったなあ。で、あなたには、その否定的な思いがあるから、否定的な結果しか出ないと。うんー。それが、この宇宙は自分の思い通りのものを自分は創り出しているんだよって言ったのね。あなたの中に、もう終わった、肉体を終わって帰ろうという否定的な思いがあるから、自分で自己破壊を起こすんだって。でも、設計図がしっかりしている限り、肉体は蘇生しようとするものなんだって。あの爪の生えているのを見ていると分かるでしょうって。

板野： だから、あの。

A： 線条体も松果体も、自分で戻っていくことは、あなたが本気で望めばできるんだって。それを出せるかどうか、それが私の課せられた課題だっていう。

板野：あの、だから、手術じゃあだめなんですよ。

Ａ：うん。

板野：自己再生しないと。

Ａ：そうみたい。

板野：手術だと、弱いから、負担がかかるときに破裂しちゃうみたいな。自己再生ができれば、元の強度になるんだと思う。

Ａ：そこに気付かないとダメだって。

板野：それと手術だと、他力ですからね。

Ａ：うーん。

板野：なんか、緊急的なときにはいいのかも知れないけど。

Ａ：地球では、このレベルの手術はまだできないって言ってる。天界の方が手術はできないって。

板野：なんか、鍼の、今の鍼のパルスの波動を見ていると、ＭＲＩＮＧのところに使われているのと似てますよね。

Ａ：そうそう、似てる、似てる。

板野：コスミック・フルートもＭＲＩＮＧも原理的なところは違わないはずなので、もう少し工夫しないといけないかも知れないですね。基本的に同じ方向でやっているので。最終的には、自己治癒能力、自己再生能力を高めていく方向なんでしょうね。

自己再生の原理

A：自己治癒能力も、自己再生能力も設計図がある限り働く。それには、豚の睾丸の粉が。

板野：その豚の粉に当たるものは何なんですか？　脳の場合は。

A：上皮組織ができないようにするってことでしょう。

板野：でも、外側じゃなくって、内側だから。

A：違うの。上皮組織ができるということは、そこまででおしまいということなの。

板野：ああ、そうか。思いなんですね。

A：思いなの。それが、せっかく指が伸びてこようとするのに、覆うことで、守って、そこから黴菌《ばいきん》が入らないように、上皮組織が包んじゃうんで、成長できなくって、指なしになっちゃうわけ。だから、もうできるわけないとか、そういう思い、それがあると、自分の中にある再生能力が抑え込まれてしまう。

板野：じゃあ、できると思えばいいんですね。

A：そう。だから、繰り返し、みんな言ってくれてさ、Lちゃんも絶対に治るって思うって、一番強いのはHさんだよね。

S：そうやってみんなが言ってくれると、Aさん、そうだって思ってくるしね。

板野：でも、最後は自分で確信しないとね。

A：そうなの、そうなの。だから、みんなに言ってもらって、ここまで持ってきたのよ。だけど、ここから先は、私自身が目覚めて、私自身が悟らないとダメだよっていう。どうも、否定的なカルマがついちゃって。

板野：まあ、ある種の創造原理ですよね。

A：そう言うの。この宇宙は、自分が想像した通りの状態になっていくんだって。繰り返し言うの。姿形も、能力も、環境も、みんな他人事《ひとごと》だと思うから被害妄想になるけど、みんな自分で創ってるんだよって。ポジティブな思いを持てば、人間の腕だって、もちろん生えるって。わたし、あれ、すごい衝撃的だったんだ。

S：こわいなあ、ちょっと、もう。

板野：そういう豚の睾丸の話は、世の中的には知られていないですよね。

A：でも、この数日間、テレビでやってる。

板野：え、テレビでやってるんですか？

A：そういう私は三回も見ちゃったの。

板野：へー。
A：それが、何かインプットされてて、今、頭に電気通されている時に。
板野：なるほどね。
A：聞こえてきて、お説教のように聞いてたの。
板野：なんかいい加減にしてみたいな？
A：うーん。
板野：でも、この世的には、何かこう、思いで再生していくというコンセプトが、何か、今の人類のところに欠けちゃってるから、
A：それがね、宇宙時代の科学。
板野：宇宙時代の。
S：でも、わたし、最近、ビジョンが見えるんですけど。
A：うん。
S：Aさんが車を運転しているのがずーっと見えてるんです。ここ何週間か。
A：私がHさんに言うんだけど、私が車を運転したいくらいよって。
板野：車を運転するのは、手足が動くようになれば、別段難しい話じゃあないですけどね。
S：ずーっと見えてるんだけどなあ。

A：うれしい。
S：何週間も。
A：ただ、このハードルを乗り越えるのが、この二、三カ月のね、今、これに集中して治療して、心身ともに戻さないと。やっぱり私もやりたいなあって、私も思ったの。
S：ですよね。
A：うーん。

肉体の次元を上げる

A：ねえさっきね、あれだけの高波動のエネルギーを通したら、焼き切れるよねって板野さん、おっしゃってたでしょう。あれを思い出してたのよ。また元気になったら、またこの仕事をバリバリやったら、また壊《こわ》れちゃうじゃないって私が言ったら、今度再生したら、次元が上がるって言ってた。
板野：はーあ。それも一緒に望めば、そうなるんですよ、きっと。肉体の次元を上げたほうがいいのかもしれない。
A：その対応ができる松果体に上がってくみたいな。
板野：ふーん。

A：今、先祖からもらったこの肉体だけで、やってきたでしょ。

板野：ある種の、何かもう一方の言い方として言われてる話がありますよね。この肉体の存在は、この三次元世界への投影であるって。どういう風に投影するのかというのが、投影ということは、その投影自体が選べるということですよね。

A：うーん。

S：選べる？

板野：だから、自分の意思で、どういう風に投影するかを選ぶことができる。だから、再生をするときに、その表現を選べばいいんだと思う。

A：うーん。そういうことも教えてんのよね。これを乗り越えたら、それをみんなに、メッセージで、乗り越えたらさ、伝えることができるじゃない。

板野：ちょうどね、アセンションの形なんだと思う。

A：そうね。

板野：自分自身で、個人でアセンションすることもできるということも。

A：これで治ったら、みんなびっくりするよ。

板野：だから、あるところまで酷《ひど》い状況だということを見せとかないと。

A：うーん、そうだね。主人も認めなかったのよ。あの強いママが、何怠けてんだって。

でも今朝《けさ》なんか、リハビリに行く時を言ってきて、意外に手伝ってくれて、で、そんなことすんだなあ、やっと分かったんだなあ、この人もって思っててね。

S： すばらしい。

A： リハビリのところの先生たちもさ、もう筋肉もだめで、呼吸もあぶないから、ダメもととか、室温管理とかちゃんとしてねとか言ってるから、だから、本当に、このままダメに、普通だったらそうじゃない。発症四年か五年だもん、寿命。もう三年過ぎてるしね。

板野： それと、一回だめにしないと、再生ができないのかもね。そのままの状態だと。

S： 一回、底を打って。

A： そう、

板野： 一回壊さないと再生できないから。再生する時でないと、波動を上げたりとかできないんだと思う。きっと。本当は、投影なんだけど、投影であるにも関わらず、地球の三次元はすごく重いから。

A： うーん。

板野： 一回投影したら、なかなか投影が変えられないというか。

A： そう、物質が重たいのよ。

板野： もっと私たちの母星の時の肉体のような感じだと、思いでどんどんどんどん変えていけるから、いかようにでもなるんだけど。

A：　そうなのよ。重すぎちゃって、肉体が。

そこで、この録音は終わっている。その後、結局Aさんは元には戻らず、亡くなってしまった。亡くなられた後に、私のところに来られて、『頑張ったけど、やっぱりだめだった』と言われていた。実は、この話の中では、再生ということがテーマなので、再生はできるということなのだが、再生をするには、寿命のエネルギーを必要とするということがあって、寿命のエネルギーを使い込んでしまっていたので、再生ができなかったというのが正確なところである。寿命のエネルギーが残っていれば、再生はできたのだろうが。

8　宇宙の科学者の仲間との対話

コスミック・フルート（銅柱）で通信を試みる

霊媒役の友人のAさんが亡くなり、しばらく経ってから、もう一度コスミック・フルート（銅柱)を立ててみようと思い立った。独力で、通信機として使えるかどうか確信はなかったが、やってみたくなったのである。時は、二〇一四年の七月である。

コスミック・フルートには制作の時期によっていろいろなバージョンがある。ベースのコスミック・フルートは初期の短いバージョンで、直径十三センチのものの上部に補正用のリングをセットした。下部には地球パラメータ補正用の調整リングを置いて、この上にコスミック・フルートをセットする。

この上に銅球を置く。ある周波数の交流の電圧を添加する必要があり、このために底面に銅板を敷いて、この五十センチくらい上にコスミック・フルートを置き、この底面の銅板とコスミック・フルートの間に交流の八十サイクルの電圧をかけるのである。この電圧をかけないと、通信機にはならないことが分かっている。下部に置く地球パラメータへの調整リングがないと、頭が過熱する感じがする。あるとクールで透明感があるので、これがあったほうがいいようである。これでどうかなあと思った瞬間、心の中にある思いが湧いてきた。以下では、Sは通信機がつながった宇宙の方である。

S： まず、何に答えればよいですか？

板野： コスミック・フルートのこと、このパラメータでいいですか？

S： とってもよいですよ。あなたの体にも負担がかかっていないし、とても精妙な状態で動くようになりましたね。

板野： 八十サイクルの電圧の出力はこれでいいですか？

S： もう少し高くしてみてください。

S： マックスでもいいみたいです。コスミック・フルートが精妙なので、レベルを上げても大丈夫になりました。

板野： あなたは今どこにいらっしゃるのですか？

S： 今、私は、地球にはおりません。地球から遠く離れた星におります。あなたの昔の仲間です。

板野： 銀河系の中なのですか？

S： 別の銀河の星におります。

こういうつながり方になるということは、以前つながったことのある方なのだろう。仲間というような関係性は、宇宙の中では、最も当たり前に使う言い方のようだ。仮に力の差があったとしても、仲間であることには変わりがなかったりするようだ。

S：私たちは、あなたも知っているように、シルバー光線に仕える者たちは、特に一つの星にこだわってはおりません。

というか、ある惑星、星の個性の中で、文明、人間の能力、まあ、愛の表現を伸ばしていくという意味での貢献をするというやり方もあるのですけれども、我々は、科学、この宇宙の成り立ちということを探究していくことに関心があって、これは必ずしも一つの星の中に閉じているわけではないので、一定のレベルに至った魂は、大宇宙の中に分散して存在して、手を取り合って仕事をしているのです。

宇宙の仕組み、宇宙物理学というような観点からすると、これはあなた方の知る、この宇宙全体の中では普遍的なものがあり、その意味で一つ一つの星を超えて、共通の土俵があるからです。

一つの星を超えて手を取り合う

S：人間の文明であると、体の形であるとか、人は、その個性があるために、文明、人間性を発展させていく時には、閉鎖した環境のほうがよいということがあって、星という単位が、この個性ある文明を発達させていく時には必要なのです。

しかし、科学的に、知見、洞察、そして、この枠組みは、このベースが、宇宙大に拡がっている宇宙空間そのものであるので、私たちは、太古の昔から、一つ一つの星という枠を超えて、手を取り合ってきたという事実があるのです。

S：あなたが日ごろから疑問に思ったり、思索を続けていることに、この空間、時空がおありでしょうが、この時間と空間を合わせた時空は、基本的には、宇宙全体の存在のベースであるために、宇宙大に拡がっています。

そして、その時空の中に、波動の精妙さという尺度で測られる、もう一つの物差しがあって、この精妙さの異なる存在が投影されるように、この時空の上に重なって存在する空間があります。この意味で多次元構造をしているといってもよいかも知れません。

S：この精妙さの次元は、四次元時空として多重に存在しているので、多重構造といったほうが、より的確かも知れませんね。そして、この精妙さの異なる空間が多重に重なっている構造は、宇宙全体で一様であるわけではありません。ある部分では、多層の多重空間が存在しても、別のところの多層性は少ないというようなことがあります。

しかしこの宇宙の中心をなすところの精妙さの次元は非常に高く、これは宇宙の存在そのものと密接に関わっています。三次元空間という物質的な次元のものと、霊的な非物質次元のもの、この霊的なものの、もうひとつ奥にあるものがあって、これらの関係をもう少し、的確に知っていただきたいと思います。

投影

S：宇宙の空間についてですが、これはまさに宇宙意識というべき存在による創造原理によってできており、これは宇宙意識が自らの思いによって、自らを投影した姿でもあるということです。

この投影という概念についてはなじみがないかも知れませんが、この現実に起こっていることを的確に表現しようとすると、この言葉が最も近い表現であると考えてください。

この投影において、宇宙意識の元のエネルギー、意識体としてのエネルギーが同じ時空の中に投影されているので、最も高次の時空は宇宙意識自身につながっています。ここから低次の層の時空に、何階層にもわたって空間が重ねられて、いわゆる多次元の時空ができあがったということになります。

S：従って、あなたが今いわゆる三次元世界に存在していると思っているその世界の奥には、それ以上の世界が無限に重なっております。

地球という磁場で、具体的に見るならば、地上の物質世界である、いわゆる三次元世界以外にも、物質世界としての高次宇宙が存在しています。

シャンバラと言われている世界がこれに当たります。物質的世界の波動も何種類もあって、その波動の低いものから高いものまで、さまざまなものがあり、地球の主たる物質世界の波動は、今最も粗雑なレベルのものにまで下がってしまっています。

物質次元の世界の波動

S：しかしあなたもよくご存じのように、大宇宙の中には物質次元の世界だけ見ても多くの星があって、あなたの昔いた母星は、三次元波動が非常に高いことで有名な星でした。

霊的な世界における波動が何十段階もあるように、物質次元の世界の波動も何十段階もあって、物質次元の存在は、そのどこかの段階に投影されているのです。

宇宙船における宇宙の移動というときには、この物質的な次元の中での投影をどの次元に対して行うかということと、空間の中での移動をどうするかということが問題になるのですが、これを知るには空間の成り立ちをもっと良く知る必要があります。

S：まず、時空における光の伝達速度は、この波動の精妙さの次元によって異なり、今のあなたのいる三次元世界においては、光の速度が、信号の伝搬の最高速度でもあるし、物が移動できる最高の速度であって、あらゆるものの移動は、この光の速度を超えることはできないことが、相対性理論として知られていると思いますけれども、もし、あなたが、波動の精妙さがもっと精妙な世界にシフトするとどうなるかというと、その世界における光の速度は、元の世界と同じではないということです。

ですから、この波動の精妙さを、次元という概念で表すことにすると、波動のより精妙な世界がより高次の世界であると呼ぶことにすれば、より高次の物質世界に移行（シフト）すると、より高速に移動することができるようになります。

S：もう一つは、空間が、一様に拡がっているわけではないので、空間を折り畳《たた》んで、ある一点から別の一点に不連続に移動するようなやり方があるということです。

よくSFなどで出てくるワープというのは、実は実際に起こることなのです。空間を折り畳むには、大きなエネルギーが必要ですが、私たちの空間の中には、エネルギーのバランスの不均衡のために、空間が無理矢理に、折り曲げられている場所もあって、そのような場所を利用して、別の場所に移動することもできます。いわゆる近道ですね。ショートカットのような、バイパスのような通路も存在しています。

どのような条件の時に、空間が曲がるかということは、これから宇宙物理学のテーマとなりますが、そこに行く前に、宇宙の多次元構造の存在を認識しなければなりません。

さて物質次元の時空の先に、非物質の時空が存在しています。私たちの魂を考えると、この魂というものも、エネルギー体、エネルギー的な存在なのですが、このエネルギーとしての存在の次元は、物質的な次元の時空ではありません。

時空の重なりあい

S：　物質的時空にも、波動の精妙さの異なる多くの時空が存在していて、実は、同じところで、重なり合って存在しているのですが、この波動を更に精妙にしていくと、物質的世界の表現形式よりも別の表現形式の世界へと移行します。

元々の宇宙の作られた方のところに戻ると、この非物質の時空が宇宙大に拡がったわけですが、この非物質の時空の中にも、波動の精妙さの程度があり、そこに存在するエネルギー存在の精妙さの種類だけ、空間の種類も存在します。

まあ、しかし、これは、本当は、順番が逆かも知れなくて、創造された空間に、自らを投影せんと欲するエネルギー体が、自らを投影することで、その世界に存在として現象化するというのが、正しい順番です。

そして、元々、エネルギー存在は、この世界を創造した存在、この存在を神という名で呼ぶとすると、神のエネルギーの一部として生み出された存在であるわけですから、それらの存在は、その核のところに、神自身と同じレベルの精妙さを持っていて、但し、どのような精妙さを最もメインの波動として存在しているのかというだけのことなのです。

S：　非物質次元の時空のことを、霊的世界と呼ぶこともありますが、この時空間のほうが、創造原理の働いた根源により近い空間でもあり、私たちのエネルギー体のほうからみても、より本質的な空間でもあるので、この非物質次元の空間のほうが本質的重要度が高いのです。

非物質次元の空間の究極のところに神の次元、あるいは、創造のエネルギーの原因となる存在があり、この部分は一点に集中しているのです。あなた方の世界であれば、握一点開無限というようなことを言われた方もおられたようですが、この究極な点は、まさに、握一点に集約されると考えてもいいでしょう。

時空の多次元構造の観点からみると、三次元宇宙大に拡がっている空間を移動しようとすると、何万光年ある距離であっても、より高次の時空に移動すると、その距離はごく僅《わず》かです。

私たちの思いの世界、すなわち、非物質次元の世界は、実は、魂の存在としての私たちが、思いを伝え合っている世界であって、この世界において、思ったことが、遠い世界に存在する方に伝わるには時間がかかると思われるかも知れませんが、これは、どの程度に次元の高い世界を通って、そのエネルギーを伝え合うかに関わっているのです。

時間の認識

S：　時間の認識は、三次元の物質的世界に生まれて生きていると、どうしても、その世界の中に制約されて、正しい的確な認識を得ることが難しくなってしまいます。

それと今あなたの生きている世界が、その科学的なことも霊的なことも含めて、とても遅れているというか、原始的な世界の中にいるので、その世界から抜けることがそう簡単にはできないのです。

これはしかし仕方のないことであって、そのような世界の中に生きていることが、あなたの今回の人生の前提、目的であったということなので、この前提となることから出発して、どこまで元の状態に戻れるかということになるのでしょう。

S：このような事態は当初から予想されていたことであって、そのために我らは、しかるべき時が来た時にあなたと通信をして、必要なことを伝える約束を交わしていたということです。しかしあなたとしては、今何も分からない状態の中に置かれており、非常に苦しい状況であるのは分かりますが、共に頑張っていきましょう。

さて時間ということですが、これは特に物質次元の空間においては、その空間における波動の精妙さの程度で測られる次元と深く関係していて、より低次の世界においては時間の進み具合というものもゆっくりしていて、これは物事がゆっくりとしか動いていかないのです。ですから情報が伝わるにも時間がかかるのです。

しかし波動の高い次元においては、非常に物事の起こる速度が、進み具合が速く、非常に短い時間で物事が進んでいくのです。ですからある人が何か今思ったとしても、その思いが伝わっていく速度、実現していく速度も、波動の精妙な次元においては、とても軽やかで速いのです。

霊的次元の世界の多次元性

S：霊的な非物質の次元においても、その精妙さにおいて同じようなことがあり、より精妙な世界ではより物事が速く進んでいきます。

従って、地球のように低次の世界と高次の世界が重層的に存在している領域においては、その差が出てくるのですが、宇宙全体の中で考えると、空間的な拡がりが非常に大きいので、この差は顕著になっていきます。

空間を移動するという具体的な事象を考えると分かりやすいかも知れませんが、かつて何億年も前に地球に、大宇宙の中の多くの星から、いろいろな人たちがやってきたことがありました。またその後も、このようなことはずっと起こっているのですけれども、この宇宙の中をどうやって、別の星にやってくるかを考えると、これはいろいろな方法があるのです。

人類の肉体とか、あるいは、動物や植物の生命体としての体を運んでくる時は、このような肉体的な生命体と呼ばれているものは、物質次元の存在であるので、宇宙船と呼ばれる科学的装置を用いて運んでくるしかありません。そうすると、これは必然的に物質次元の空間の中を通ってやってくるしかないので、その移動に何年とか何十年とか非常に長い時間がかかるのです。

S：もちろん今の地球の科学の水準で考えると、この程度の時間では、もちろん移動などできなくて、エネルギーの問題がないにしても、何万年、何億年の時間があっても、やってくることはできないでしょう。

でも、宇宙全体における科学の水準は、現在の地球のレベルを、はるかに超えていて、一つには物質次元の空間であっても、非常に精妙な波動を持つ次元の高い時空を移動することもできるし、空間を折り畳んで移動する技術も存在するので、この低次の物質次元の空間で見れば、何万光年、何十万光年、何百光年のかなたからであっても、これを何年であったり、何十年であったりという、比較的短い時間で移動する方法があります。

そして、もし仮に物質次元の肉体、生命体の存在形式を保持して移動しなくてよいのであれば、その魂のエネルギー体だけを移動させればよいのであれば、それはもっと速く移動する方法があるのです。

ただしこの場合には、一つ制約になることがあって、それはより精妙な次元の空間は、誰でも通れるわけではなて、その空間に自らを投影できる者でなくては、通れないということがあります。

S：宇宙の非物質次元の空間は、ある次元の時空が宇宙全体でつながっておりますが、今の地球のような星では、この宇宙全体に拡がっている非物質次元の空間よりも低次の空間を、惑星の周りに創造して、多くの魂をその中に居住させています。

これはまだ発達段階にある多くの魂の学習の場を提供するときに取られる方法であって、宇宙の中でも、文明を起こして、魂を育てている星では、必ず、このような方法が取られています。

ですから、空間的には低次元のほうから見ると、広大な物質次元の空間と非物質次元の空間が重なり合って存在し、それぞれの空間が、精妙さにおいて、異なる時空を多層的に存在させているので、その意味においては、宇宙全体が多層的な多次元空間として構成されているのです。そして非物質次元の非常に高い次元の時空が、宇宙全体を究極的に統合する一つの源のような形で存在しています。

S：低次のほうから見ると、そういうことになりますが、本来的に言うと、この源のほうの高次な時空のほうが元になって、より低次な時空が展開されているのが真実の姿です。

この源のところというのは、実のところ時間の流れが非常に速く流れうるところで、空間的にも時間的にも一瞬で移動することもできるし、ゆっくりしていることも、もちろんできますが、時空における制約が非常に小さなところなので、今の大宇宙のような、非常に大きなスケールのものを一点で捉えることもできるし、非常に長い時間を一瞬で捉えることもできるような、そのようなところなのです。

１００億年というような、あるいは1兆年というようなスケールの時間であっても、これを1年あるいは1時間というようなスケールで捉えることもできるし、極端なことを言うと一瞬で捉えることもできます。一瞬でありながら、一兆年でもあるということです。

空間的にも、千光年あるいは数百億光年の距離であっても、これを一点とみなすことさえできるのです。

S： ですからこのような次元というものがあるので、このような時空を利用できれば、宇宙の果てまで一瞬で行くこともできるし、全くの時間なしに通信することも不可能ではないのです。でもそれでいながらより低次の世界にいると、その世界においては同じ時空にいることは、必ずしも言えないかもしれないということです。

そしてまた私たちは、逆により低次の世界においては、非常に長い時間を使っていくことができるということがあり、これを積極的に使っているのです。

S： おわかりいただけたでしょうか。あなたが、これで少しは元の認識を取り戻していただけたのではないかと期待しております。

板野： うーん。なるほど。どうもありがとうございました。少し咀嚼《そしゃく》してからもう一度質問させてください。

S： 分かりました。いつでもお呼びください。

板野：今日は、どうもありがとうございました。

9　宇宙物理学の原理

A：こういうすごい、また光り出したね。ここ、見える。

S：はい、ここ？

A：すごいなあ。壁一面光っている。何か、『宇宙の法則』だって。『求めよ、さらば与えられん』なんだって。でも受け取るには受け取るだけの資格がないと、与えられないよ。今、認識においても、私たちが宇宙物理学の叡智を与えられるのにふさわしい成長をある程度したから、資格が与えられていると。この機会をどう使うか使わないかは、あなた方しだいであると。あとは任せたぞって言ってるの。教えることは教えるけど、後、それをどう役立てるかは、あなたがたに任せた。あれ、面白いね。

A：これからみたい。

板野：うん。

A：その基礎的なことを、今回、地球人の認識に基づいて伝えてくれればいいだけだよって。でも、その視点の、飛躍した視点、認識が、なかなか皆気づけないだけだ。そこを伝える、証明する。宇宙物理学というのは、あるらしい。

板野：宇宙レベルでの物理学ですね？

A：わー、いっぱいきたね。そんなに言っても分かんないよー。

『親和性の法則により、自己の魂の中にある愛の認識レベルを開放し、宇宙の根源の神に同通することは、神の愛のエネルギーを引く最短の道である。

そうやってエネルギーを引いてくることにより、自分の中にある内的パワーを増大し、それにより、宇宙間を移動するエネルギー源を獲得することができる。

この無尽蔵なエネルギーを利用していく、さまざまなものを動かし、動力源にしていくのが、宇宙物理学、宇宙科学の基本原理である。

エネルギーとはサイキックなものであり、メンタルなものにより引き寄せられていく。宇宙にある無限のエネルギーとは、神の愛のエネルギーであり、それを引いてくるのが、メンタルな意味でのチューニングであり、愛の認識レベルによる。そのことを統御しているのが心である。だから、そこに目覚めよと言っているだけだ。

物理と科学が宇宙レベルで、宇宙空間を移動するために活用するのであるのならば、神の子の愛のエネルギー、宇宙の遍在するエネルギーを味方につけなくては不可能になる。あらゆる星団における宇宙船と呼ばれているものの動力源は、この宇宙空間に満ち満ちている愛の質量による神の愛のパワーである。それを、どれだけの認識レベルに引いてこれるか。より精妙なエネルギーになれば、より強力なエネルギーを引っぱってくることができる。それだけの大きなものを動かすのである。

大きなエネルギーを引き、船を自由自在に操《あやつ》れ、エネルギーが引けるかで、その艦長クラスの魂の力量が比例するということでもある。

宇宙科学と物理学というもの、あなた方は、宗教と言われている魂の目覚めと融合して、新たな世界観を形成している。

そのような、まず自分自身の魂、まず、自分自身はいかなる存在であるかの目覚めがなければ、そのような力は湧かないし、宇宙科学や物理の発展を味方にして、宇宙空間に飛び出していくことは不可能であろう。

私たちは神という大いなる愛の懐《ふところ》に抱かれて、喜び、歌い、自らの愛を表現し、手を取り合い、神の望まれた美しい世界を表現する、そのために生まれた神の子たちである。

その表現方法の達成のために、宇宙科学も宇宙物理学も音楽も芸術も、全てが存在を許されている。我々が、存在を宇宙大に活動することを許されるには、自らの愛の認識、魂の力、自分たちが何者であるかということに、しっかりと目覚めること、自分たちの力をしっかりと使いこなし、応用できること。そのことから、全てが始まるのである。

あなた方が得ていると思っている化石燃料、原子力のエネルギー、さまざまなものを、たとえ積んだとしても、この宇宙空間に飛び出て、私たちのように、自由に融通無碍《ゆうずうむげ》に動くことは叶わないであろう。

神の宇宙の体内は愛で満たされている。愛のエネルギーの応援を受けて、何も不可能なものはない。

ただ、自分がどのような愛の認識レベルに到達しているかにより、行動の自由と動ける範囲、どの世界に姿を現し活動することが許されるか、その己の愛の認識レベルにより、同調されているということであり、高い深い認識、愛の表現、器質においても高まれば、より多くの世界を覗き、より多くの世界の者たちと交わり、その世界に貢献することも可能である。

まだ、己自身の心の中に争いの気持ちを持って、残っているような者たちは、我々の世界を覗くことは無理であろう。

まず、神の子としての目覚めを無事に通過せよ。そうなれば、自らの魂は開かれ、神の愛と同通し、無尽蔵なエネルギーが自らの魂の内側から溢れ出てくることであろう。

科学的なことから見たら、おかしなことをいうと思うかも知れないが、宇宙の真の科学、真の物理学、そういうものは、本来、神の愛を表現する一つの側面を表しているのに過ぎない。だから、根幹の部分をまず学んで、それから表現手段の方法論にいくがよい』

A：　分かったでしょうか。

板野：　なるほど、いやー、すごい認識を伝えていただきました。

10　生命の原理とは投影（プロジェクション）

以下は、２０１２年の7月に、光の世界の科学者から、私が受け取ったメッセージである。

ここでは、生命とは根源的な存在が自己を投影することであると言われている。スピリチュアルな世界観から見れば、物質の世界にある全ての存在には意識があり、全てに生命が宿るので、これは科学の原理そのものであるとも言える。

エマーソンの超越主義の哲学は、根源的な存在から説明を始め、論証ではなく実体験を通して実在に到達することを試みるものであるが、まさに同じことを科学の言葉で語っているように思える。

この内容も、霊性と科学を考える際の中核となる重要なコンセプトであるので、ここに共有したい。

『この生命というものは、一言で言うなら、この三次元世界において神のエネルギーを投影したもの、このための仕組みを言うのです。

しかしこのために用意されている仕組みは、これは、とても精緻《せいち》なものであり、いまだ人間、地上の人間が全てを知り得ているわけではありません。

神のエネルギーというと、一種、宗教的な響きがするかも知れないですけれども、これを科学という目で見るならば、この世界を存在せしめんとしている思いが、これが根源となっていく、この力によって、存在というものがあるのですが、生命、生命体についてもう少し詳しく言うとすると、この根源的な力を三次元世界、今、あなたが目の前に見ている次元の世界において表現していくということです。

宇宙における存在、あらゆる存在が、根源的な存在であるエネルギー体、これを神と呼ぶこともできますけれども、このエネルギー体より分化した存在であり、高次の存在様式によっているのですけれども、一つの目的を持って三次元世界に自らを投影しているということがあります。

投影しているのではありますけれども、一定の時間の間、この投影された世界の中で生きていく。一つの、独自の意識体として存在していき、学びというものを得て、生成していくということがあり、この時に、三次元の物理的世界は、とても粗い世界であるが故に、この世界に安定に留まり続けるには、それなりの工夫が必要でした。

それで、肉体というもの、肉体を存在せしめる力、魂という高次の存在様式を投影するための方法として、少しずつ波動を落としていくという方法が取られました。

生命体は、三次元世界の中から見た時に、命を持っているように見えると思います。この命というものは、しかし、手にとって見せることはできないけれども、生きているということが、皆さんにはお分かりでしょう。

この生きているという部分のところには、仕組みがあります。肉体を継続的に存在せしめんとする力、これは、また別の見方をすると、一つの細胞から出発して、肉体の形や機能を作り出している力というものでもありますが、このような力があります。

この力がなくなってしまうと、もう肉体を維持できなくなってしまうので、この力は、別の言葉で言うと寿命を決めるエネルギーでもあります。

そして、高次のその生命体のエネルギー存在との関係を保つということがあって、これは魂が肉体に宿るとか言われたこともありましたが、要するに、高次の存在としての私たち、根源なるエネルギーから分かれた私たちが、より低次の世界に向かって、自らを投影している姿に他なりません。

根源的なエネルギー体から分かれた時に、独自に思うことができる力を持つことになったということがありますが、もともと、根源的なエネルギー体には、自らの中で複数の思いを持つことができるような力を持っているわけであり、分化したエネルギー体も、別の目で見ると一つにつながっているということでもあるので、この一つの存在である根源的なエネルギー体が、色々な次元の世界に自らの姿を映している、色々と学んで自らを進化させている姿が、この宇宙の姿でもあるということです。この根源的なエネルギー体は神と呼ばれることもありました。ですが神という存在は、抽象的なものでも、あるいは形而上的な概念でもありません。実存のもの、リアリティーのあるものです。そして、私たち自身も、根源的な神のエネルギー体の一部であるということです。

そして、今この地球という星、太陽系、銀河系などの宇宙に展開している生命の姿も星も、これは一つの生命体としての姿であり、この意味では全ての生命体の姿は、神の根源的なエネルギーを投影した姿であるということです。

寿命、死について、もう少し突き詰めて見ていくならば、これは高次の存在である個性を持った高次のエネルギー体が、この世界への自らの投影をやめることを意味しています。本当は、そういうことなのです。

地上に生きていると、死が、自らの意思とは無関係に訪れてくるように見えるかもしれません。しかし、本当の姿は必ずしもそうではないのです。投影されているほうの中にいる存在が、そのことを知らない、認識できていないだけなのです。

何が自分であるのかは、これは、ある意味、多次元の実体であるのですが、何が本当の自分なのかということでもあります。投影しているほうの自分があるということです。

どのくらいの期間投影を続けるのかということも、ある意味事前に決めてスタートするということもあります。

地球上では、一つの学びの場としての効率を上げるために、投影する側とされる側の間が完全に遮断されてしまうような方法をとっています。従って、地上で実際生きている存在として自分自身を見た時に、寿命のコントロールはできないです。

しかし、自分という存在を、元の、本当の自分自らをこの世界に投影しているほうの側に戻していけば、寿命であるとか、死も、自らの思いの中でやっていることであって、決して決められてしまっていることではないのです。

もう少し存在の様式の進んだ星に行けば、投影されている側から見ても、自らの実質が良く見えてくるのですが、これは、どのように段階が進んだとしても、単に相対的に存在するということです。たとえ人間の魂として最高次元になっても、惑星意識になっても、同じです。

投影するほうと投影される側における二重構造のようなものがあり、投影されたほうには、自分自身として投影しているほうの全ては見えないということです。

これは一つの目的があってなされることであり、自らの学び、進化、そして多くの仲間を含めてどのように存在していくかという役割の中でこの目的があるからです。

ですから決して目の前にあるものだけではないということです。

よろしいでしょうか。

今日は、色々なことをお伝えできてとても嬉しく思っています。またお会いできる日を楽しみにしています』

11　プレアデスの仲間からのメッセージ

ここに紹介するのは、2014年の9月に行われた、プレアデス人とのコンタクトの一部である。

アセンションへ向けて

『これからお話ししたいことは、アセンションにあたっての心構えというか、心意気というものを、私の立場で、お伝えしたいと思います。

アセンションが何を意味するかということがあります。まあ、アセンションというと、次元上昇と言って、姿形の形態のバイブレーションが変わるということですから、今までの地球なら、地球という惑星のあり方が、物理的にも、3次元的にも変化するということがあって、そのことについての知的関心を、心に抱く方が多いのですが、まあ、その環境の違いもありますけれども、本当に大事なことは、この環境に生きる方の精神性の問題です。

この精神性が一定の段階に達していないと、アセンションという、惑星単位での環境の空間的な次元の変化は、してはならないことになっておりますし、新しい次元に入るには、精神性の問題もあるので、あるレベル以上の方々でないと、その次元に存在しえないのです。

そして、そのために、地球の指導的立場におられる方々は、これまで長い間、苦労してこられました。

我々、プレアデスにおいても、似たようなことがあったのです。どの星においても、最初のアセンションは、そう簡単には参りません。その門は、ある意味、狭き門でもあるのです。そんなに難しいことでは、決してないのですけれども、その簡単なことが、なかなか越えられないのです。

それは、どういうことかというと、この宇宙を創造された存在がおいでで、その存在から、その存在の一部として、生み出されたものが、独自の実力で、また、本来の姿に戻っていく、一つのステップというのが、このアセンションということなのですね。

この本来の姿が何であるのかというと、それは、星の上に住んでいる魂は、それぞれが、自意識を持っていて、自分自身のことは分かっているようになっているのですが、自分自身の思いの結果として、長い間に、いろいろなことを学んできたのですけれども、どうしても、他人と自分の間に、簡単には理解し合えない壁があって、乗り越えられないのですね、なかなか。

夫婦という関係、家族という関係、民族であるとか同胞であるとか人種であるとか、イデオロギーや宗教といった、星という単位での精神性の発展のプロセスの中で、多くの喜びもあるでしょうが、軋轢《あつれき》と苦しい思いを、なかなか受け入れることが難しい状況が、長く続いてきているいると思います。

でも、この分裂した状態から、本来、元は一つの神のエネルギーから分かれてきたものであるなら、その源流のところに、一つの認識として戻っていくことが必要なのです。そのような認識を、その星の共通の認識として持てるかどうかが試されているのです。それができるというところが、アセンションの前提となるポイントです。

地球としてのアイデンティティ

地球であれば、地球人としてのアイデンティティ、共通のアイデンティティが持てるかどうかということなのですね。何をもって地球人のアイデンティティとするのかということです。あなたは、そのことをどうお考えでしょうか?

今、地球に生きている多くの方は、やはり、自分のことに精一杯で、今を生きること、現在、目の前にあることに対処するのが精一杯で、国という単位での軋轢もあるかもしれません、あるいは、戦いということでもあるので、こちらが生き延びるか、相手が生き延びるか、そういう状態に追い込まれることも少なくないでしょう。

ですから、どうしても、個々の視点でしか物が見えなくなっていって、どうしても、抜け出すことのできない、堂々巡りの輪の中に嵌《はま》ってしまっていると言っても過言ではないでしょう。

隣の国が軍事力をもって攻めてくれば、自分の国を守らないわけにはいかないと思うでしょうし、理不尽と思うことを排除したいと思う気持ちも湧いてくるでしょう。経済的なことも、儲けを得るためには、いろいろな意味での力も必要で、これもある意味、戦いの要素が多かれ少なかれ入ってきます。

そのような中で、翻弄《ほんろう》されていると、いつの間にか、星全体として見てみると、大変なことになってしまっているわけです。誰も、地球人として、地球に責任を持っている人はいなくなってしまって、目先のところで、自分のこと、自分と自分の仲間のことしか考えないでやっていかざるを得ない状態に追い込まれているのですね。

この星としてのプライドというか、責任感、ある意味、自分の星を誇りに思うような思いが湧いてこないといけないのですけれども、このアセンションの時期には、そういう意味での成長が必要なのです。

その視点を持つことが、ひとつの段階が上がるということです。そのために、私は、あなたに、今という時期を選んで、メッセージをお送りしているのです。地球人ではない私が、あなたにメッセージを送ることに意味があるのです。一人のプレアデス星人の友としてです。

地球なら地球、どの星だっていいのですけども、その星の外に立って、物事を見て欲しいのです。自分の星に、誇りをもっていただきたいのです。汚いところ、だめなところばかりに、目を向けてはいけません。その素晴らしい星であることに、誇りを持って欲しいのです。

まあ、宇宙の中には、多くの星があって、数多くの方々が、自らの星を住処《すみか》として生きておられます。事実、いろいろな段階があって、非常に進んだ星もありますし、また、生まれてから、それほど時間が経っていなくて、これからいろいろな経験を積んで発展していくという段階の星もあります。

ですが、非常に進んだ星のほうが偉くて、遅れている星のほうが劣っているというわけではないのです。宇宙レベルで見る時には、誰もそのようなことは思っておりません。

いろいろな学びをする場として、いろいろな環境が用意されているという見方も正しいので、宇宙的には、自分が学んでみたいという星に、個人的には、行って、そこで、しばらく生きてみるというようなことは、いっぱいあります。

そういう宇宙の視野の中で、自らの星に、自分の住んでいる星、〝母星〟と言うこともありますけれども、自らの母星に誇りを持つということですね。

あなたがたの星は、ガイアと呼ばれることもありますけれども、この母なる星に、誇りを持てるようにならなくてはなりません。

私たちは、プレアデスという星に誇りを持っております。そして、この誇りは、その星に住む者が、皆、共通して誇りを持てる、そのような意識を持てる段階というのが、アセンションの段階でもあるのです。

実のところをいうと、私たちも、あなたも、本当は、インターコスモ的な魂なのですね。インターコスモというと、新しい言葉かも知れませんが、こういう言葉が一番近いように感じます。あなたは、長く地球においでなので、地球人になってしまっているようなところがありますけれど、それと同時に、インターコスミックなスピリットでもあるのです。

インターコスモとはどういうことかというと、特定の星に、自らの意識を置かないで、宇宙全体の視点で存在している、活動している魂のことです。ですから、宇宙全体、大宇宙の中に、多くの仲間がおります。

脱個性的ということが多少あり、一つの星の中において、個性ある文明を展開する中で、個の魂の表現としても、個性ある生き方をしていく、表現をしていくというやり方を本義とする方たちもおられますが、科学であったり、哲学的であったりする魂は、個性はもちろんあるのですが、対象の物理宇宙が普遍的なものであったり、哲学的なものは、これは、認識論であって、科学の中でも重要なものですけれども、法というものの中では、この概念を表現する手法は、これは宇宙の中において、普遍的な表現形式であるということもあって、インターコスモ的なものを含んでいるのです。

インタースターかも知れないと思われるところもありますが、世界は宇宙的に見ると、いろいろな次元に展開しているので、コスミックなものは、次元的な拡がりを持っていて、この各空間に縛られることなく、全ての領域に跨《またが》って存在し、これを探究するという立場ということであれば、intercosmic、インターコスモ的存在というのは、別に、おかしな表現ではないと思います。

話を元に戻すと、我々は、インターコスモ的な表現を好む魂の集団だということを理解していただけたらと思います。これは、とても大事なことで、文明の進む方向に対して、ある意味で、バランスを取っていくような働きがあるからです。

よく、グラウンディングとか、〝地に足をつける〟とか言いますが、現実感のある判断と行動は、非常に安定感があり、物事を着実に進めていくことを可能にします。

〝郷に入れば郷に従え〟という諺《ことわざ》もありますが、その星その星に、特有の文明がある中で生きることには、非常に大きなインパクトがあり、大きな学びになります。思うだけでは、本当に実力のつくところまでは、なかなかいきません。

ですから、インターコスモ的な魂にあっては、特定の時代に、特定の星に生きることによって、自ら足りないところ、学び切れていない個性を手に入れることも大事なことであるのですが、同時に、宇宙の仲間と手を携えながら前進していくという部分もあります。

もちろん、地球霊団の中にも、多くの仲間がいるのですが、大宇宙の中にも、仲間はいっぱいいるのです。そのことを、心に留めておいていただきたいのです。

自分一人で仕事をするのではないのです。多くの仲間がいて、今、この時、この時空の中において、地球のプロジェクトの完成に向けて、みんなが応援しているのだということを知ってください。あなたの宇宙の仲間を代表して、あなたにこのメッセージを送りたいと思います。ともに頑張ってまいりましょう。』

時間について

『時間については、物質世界に生きている時には、どうしても、時間は、その物質世界の時間にとらわれてしまい、時間に関して、その認識が縛られてしまうので、本来の認識から、非常に固形化した世界の中でのみの時間を体験していることになります。

認識の世界においては、実は、物質世界を離れると、まさに認識の世界のみになってしまうのですが、時間の流れをどのように感じるかというと、その人、認識しようしている人の思うがままに感じることができるようになります。

いわゆる、客観的に時間の流れがないのではなくて、時間は宇宙の中で流れているのですが、その流れの中において、あるものは、非常に短い時間の中において、非常に長い時間的な体験をしようと思えば、その人にとっては、時間はゆっくりと進むのです。

逆にいうと、その人の思考し、体験する時間の認識が百倍になれば、一秒の時間を百秒として生きることもでき、百倍の体験をし、百倍の仕事をすることができます。

これは、逆のこともでき、百倍の時間を、一瞬の時間として過ごすこともできます。

空間も、その広がりは、相対的なものであって、自分の認識する空間を、いかようにも、大きくすることも、小さくすることもできるのですが、時間も、長くも短くもすることができるということです。

これは、認識の問題です。大きくも、小さくも、長くも、短くもなる、感じられるようになるということです。単に感じるということを超えて、その人にとっては、もう文字通り、そうなのです。

その意味では、絶対的な尺度はなく、どのようにでもできるということです。これは、創造主、元なるエネルギー体が、本来持っている力であり、その力が、全ての魂には受け継がれているので、原則、全ての魂にとって可能なことなのです。

ただ、問題があるとすれば、できると思わなければ、できないということなのです。自らに、そのような力があると思い、その力を使いこなせる。そのような状態であれば、できます。そのような力があることに気づかず、現状のままの認識に留まれば、そのような認識が継続します。

空間的にも、時間的にも、例えば、ミクロの世界に行くと、私たちであれば、体は、非常に小さな細胞からできていて、この細胞もたんぱく質の分子でできており、さらに、細かい世界に行くと、原子や素粒子の世界になります。

原子や素粒子の世界にまで行くと、実は、固い確固とした、物質が、すきすきの空間の中に、わずかな大きさの原子核や電子が存在しているだけのがらんどうで、個々の素粒子に着目すると、その実在が、極めて不明確なものになってきます。

これは、この物質世界の次元の境界面のようなところであるので、空間も時間の概念も、混在してくるために、存在自体が、ぼおっとしてきますが、これは、他の次元に行くと、その存在様式が、不連続的につながっていて、ぼおっとしている度合いが、変化してきます。

この部分の科学的実態を、あなたが理解できるような概念に置き換えることが難しいのですが、ここには、次元間にわたる存在の実質が隠されていて、やがて、このようなことも明らかになってくるでしょう。

今の物質空間を、どんどんミクロにしていった時に、ある細かさに到達すると、実質的には、それ以上、細かくすることはできないのです。それが、空間としての存在の成り立ちとなっているからです。一方、空間をマクロに見た時に、宇宙というようなレベルでの天文学的広さ、大きさのスケールで見た時の広がりがありますが、宇宙空間というものも、それより外はないのです。

少なくとも、物質宇宙の空間においては、そうです。より高次な空間が、その外側に存在しますが、あなたの知る宇宙空間は、宇宙神霊のボディであって、ボディの範囲までの有限な領域になっています。もちろん、今現在、この体は、膨張しているので、大きさは変化しています。もし、宇宙論に興味があれば、この宇宙が存在を始めた時は、ビッグバンという話を知っていると思いますが、この物質次元の空間は、何もないところに、ゼロから作られ、少なくとも、物質宇宙の部分のみを見ていれば、そのように見えます。

創造のメカニズムからいうと、それだけのエネルギーが、より高次の空間から投影されてできたというのが真実でありますけれども、時間という概念は、本質的には、空間と無関係に存在しているわけではありませんけれども、非常に次元の高いレベルから存在していて、創造ということ自体が、因果の法則の下にあるわけで、因果の法則そのものが、時間の流れの中にあるわけです。

エネルギーという概念、実体も、時間と無関係ではないので、次元のところを通して、全体的に見ていれば、矛盾はありませんが、特定の世界のみを見ていると、説明がつかないことになってしまいます。

ですから、科学ということも、究極的なところにいくと、存在論の一部であり、認識と存在というのは、非常に重要なテーマなのです。やがて、このようなことの詳しい説明が必要になってくるでしょうけれども、今日は、時間がなさそうなので、これで、切りあげることにしましょう。

板野： どうも、ありがとうございました。また、よろしくお願いします。

12　シリウスの仲間からのメッセージ

この接続は、二〇一四年十一月に、コスミック・フルート（銅柱）を立てて行われた。以下、Sがシリウスの方である。

シリウスの仲間が現れる

S： 私たちを呼んでおられますか？

板野： はい。医療系団の方でいらっしゃいますか？

S： 私たちは、シリウスから参ったものであります。

板野： 銀河系のシリウスですか？

S： そうです。

板野： 私に縁のある方ですか？

S： もちろん、そうです。私は、あなたの仲間の者です。ここにやってきているのは、いろいろな者が来ているので、あなたが昔から知っている方だけではありませんが、代表的な方々は、皆、よく、あなたのことを知っております。

私もあなたも、どちらかというと、特定の星に住んで、その星に貢献するというよりは、私たち科学の者たちは、宇宙全体で手を取り合っているので、そういう意味において、仲間なのです。

私は、このところ、シリウスに住んでおりますが、あなたは、地球という星で、働いておられるということです。もともと、シリウス人であったり、地球人であったりということではありませんが、ここ数億年は、こういうスタイルが続いているということです。

板野： それで、今日は、人間の体のことを、もう少し知りたいのですけれども、宇宙に住んでいる宇宙人、地球の我々から言うと、そう呼んでいるのですけれども、宇宙にいる知的な人類というか、生命体というのは、体もいろいろな形態があるようなのですが、基本的な原理、生命の原理は違っているのでしょうか、あるいは、同じなのでしょうか?

生命の原理について

S：なるほど、そうですね、あなたは、本当は、そのことをよく知っておられるはずなのですけれども、今は、お忘れになってしまっているようなので、少し、説明をして差し上げなくてはいけませんね。

もちろん、この宇宙には、いろいろな星があり、そこに様々な形態を取っていて、知的な存在、地球的な言葉でいうなら、宇宙人ですね、宇宙人が住んでおります。これは、それぞれの星の物理的な環境もありますし、何にもまして、その文明、その星において、どのような形で、どのような姿を取って、存在してみたいかという、それぞれの星の方針というか、個性が尊重されていて、皆独自の形態、姿形を取って生きております。どのような姿形がいいか悪いかというような統一的な尺度はなく、それぞれの星のものたちの価値観が、美意識などの結果として、肉体の形も決まっています。

ですから、今のあなた方の常識とは遥かに違って、いろいろな者たちが存在するということです。しかしながら、一つの大きな枠組みがあって、これは、神のエネルギー体から分かれた魂があって、その魂の入る器として、肉体が存在するということです。

非常に多くの次元の異なる時空の存在している宇宙ではありますけども、特定の惑星ということであれば、その物質的な空間は、その星の発展段階の中で決まっているので、その物質次元の空間に合った肉体が創られ、その中に魂が宿っていく、この時に、魂の次元と肉体の次元とを接続するために、中間の次元のエネルギー体が使われますが、これは、霊体と言われるような言葉で呼ばれることもあります。

このような枠組みは、共通の枠組みとして、どの星でも使われておりますので、その意味においては、生命の基本原理は、宇宙の中で、普遍性があるといっていいでしょう。

ただ、違いがあるということであれば、それぞれの星で使われている肉体は、必ずしも同じではありません。今、地球上の科学、生命に関する科学では、細胞の中に遺伝子があって、その遺伝子の中にはDNAというアミノ酸の螺旋《らせん》構造があり、この中に肉体を作り出すための情報がコード化されていることは、みなさんもよく知っておられると思います。

炭素と酸素と水素をベースにした有機系の物質で作られる肉体であっても、このDNAの組み合わせ方、使い方で、かなりのバリエーションが発生します。

実は、地球の歴史的なプロセスの結果として、現在の地球人のDNAの中には、かなり多くの情報、現在の肉体を作り出すのには必要のないはずの情報が大量に含まれているのですが、これは、過去のある時期に行われた人体創成のプロジェクトが影響していて、ある程度の宇宙人の肉体のバリエーションを生み出せるだけのDNA情報が存在しております。

もちろん、全てではありませんし、炭素系の有機物質でなければ肉体が作れないわけではないので、他の形態のバリエーションも存在します。まあ、しかし、ここでは、全てを語ることはできないので、地球に存在する人類の肉体、もちろん、他の動物であるとか、植物も生き物なのでありますけれども、地球の人類の肉体以外の形態の肉体も、宇宙には、相当多くのバリエーションが、本当はあるのだということを、理解していただけたらと思います。

そして、この肉体に魂が宿るという、このやり方は、これは、宇宙の中で普遍的な方法です。

逆に言うと、宇宙の根源的なエネルギーから分かれて創られた人間の魂であって、宇宙の中には、地球人の魂だけではなくて、非常に多くの同じように創られた魂があって、肉体的には、実は、姿形が相当に異なるものも数多くいるのですが、そのような違いがあったとしても、魂は、同じ起源を持っているということです。

地球の方を見ていると、どうも、我々から見ると、ほとんど同じ肉体を持ちながら、多少の皮膚の色とか、髪の色とか、目の色など、僅《わず》かな違いしかないにも関わらず、この違いを大きく受け止め過ぎて、差別が生まれ、一体感を持てないでいる姿を見ていると、非常に不思議な感じがしてしまいます。

もしも、そのような思いのまま、今の宇宙人の姿を見たら、違和感があって、とても一緒にはいられないでしょう。これは、物質的な姿形だけを見て、それが、その人の本質であると思ってしまっているせいで、ここに大きな誤りがある、というか、認識のギャップがあります。

本当は、心の中の思い、その精神性こそが、個々の人間の本質であって、そのような認識を持てなければ、宇宙人の標準のコミュニティにおける最低限の基準に見合いません。

ですから、どうしても、あなた方に、地球の方々も含めて、私たちの本質が何であるのかということに気づいてほしいのです。

今、地球の方々が、物事の認識ということにおいて、非常に厳しいところに置かれているというのは、よく分かりますが、一度、そのような認識が開ければ、何でもないことですし、本当は、皆さんも、はるか昔に、宇宙のいろいろな星からやってきて、地球という星の中で学んでこられたわけですから、思い出せばいいだけなのです。

板野：ということは、宇宙人と言っても、肉体、体というものは、それぞれ、個性というか、かなり違ったものを選んでいる、積極的に、自分たちの意志で、そうしているということですか？

いろいろな姿の肉体がある

S：そうです。どのような肉体を選ぶかということは、どのような肉体に宿って、どのような物理的な環境の中で、どのようにして生きていくことに意義を見出していくかということで変わってきます。

エレガントな肉体を選ぶ方々もいれば、非常に荒々しい肉体を好む方々もおいでです。あなたの今いるところでは、映画とかありますね、宇宙人のことが出てくるSFというのでしょうか、ああいう、プレデターとか、ああいう姿をしているものたちもおります。

みな、相当に違っているのです。ああいう姿で、非常に、パワフルに生きていく、行動できることが、彼らのメンタリティに合っているのでしょう。ですから、順番としては、思いがあって、どうしたいかということがあって、それに必要な肉体が選ばれているということになります。

神話の中に出てくるような、ユニコーンとか、馬の姿をした方たちもいます。みな、とても、自分たちの姿に誇りをもっていて、美意識というのでしょうか、こういう姿が一番美しく、恰好《かっこう》がいいと、彼らは、本当にそう思っているのですね。

シリウス人というと、地球では、イルカの中に宿っているのは、私たちです。私たちが、イコール〝イルカ〟というわけではないのですが、ああいう海の中を自由に行動できる生き物の中に宿るということさえできるということですね。

ヒューマノイド型という肉体の形式があります。頭があって、胴体があって、手足があって、立って歩くことができる、いわゆる、地球でいうと、人間のような姿ですけれども、そういう姿は、行動の自由、物質世界の中で、いろいろな活動をするのに、とても便利な形態であるので、我々も母星では、そのような姿をとっておりますが、イルカのような生き物にも宿ることはできるのです。そのような姿は、その姿が本質ではないからです。

肉体に宿っている魂のほうが大事であって、どのように生きていくか、どのように生きていく姿を見せていくか、ある環境の中で、その環境を創っている存在がいらっしゃるので、そのような環境があること、与えられていることに感謝しながら生きていくということ、その中に何を見出していくかというか、それが大事なのです。

あなた方、地球人から見ると、イルカの体は、不自由であると思われるかもしれませんが、地球の自然は、素晴らしいものであって、美しい青い海の中は、それはそれで、得《え》も言われぬものがあり、人間として生きているとしたら、とても味わえない体験をすることができるのです。それと、これは地球人類の方々に最後のステージで、生き物の体からくる優越性のようなものを超えて欲しいという思いがあって、そのような役割もお引き受けしているということですね。

板野：なるほど。奥の深い話ですね。イルカの中に宿ってみたくなってきました。美しい海の情景に、私自身、憧れがあるので。

S：いつでも、歓迎します。

板野：わかりました。その時は、よろしくお願いします。ところで、話は少し戻るのですが、人間の体ですと、私たちには、東洋医学という分野があって、経絡とか、ツボとか、あるいは、チャクラであるとかいう、肉体の目には見えないところにある構造が言われています。こういうものと、肉体の関係は、どうなっているのでしょうか？

S：これは、地球人の肉体ということであれば、地球の専門のガイディングスピリットの方に、お答えいただいたほうがよいかもしれませんけれども、宇宙的に、宇宙で普遍的なこととして、肉体は、いま、あなた方、地球人が、物質的次元の世界の中で捉えているような構造だけでできているのではないということに注意しなくてはなりません。

肉体についても、そして、対極的なところにある魂についても、その存在の形式は、哲学的な課題として言えるところもありますが、科学ということで言うなら、その構造は、非常に高度で複雑な形をしております。物質的世界の肉体の表現にも複雑な次元構造が隠《かく》されています。

表面的に見える体の組織、骨格とか筋肉とか、各種の臓器、血管、リンパ、神経系などの組織構造がありますが、そして、このような組織の中に、血液によるエネルギー循環とか、神経系の情報の流れといったものが張り巡らされておりますけれども、それだけではありません。

肉体を支える、この次元の表現を少し超えたところに、エネルギーの循環系があります。これが、チャクラとか、ツボや経絡と呼ばれているもので、これは、低次の世界においては見えませんが、やや高次の世界に移れば、そこに実在します。

そして、こういう肉体を存在させようとする意志をもったエネルギー、あなたが生体エネルギーと呼んでいるようなエネルギー体もあります。

存在のエネルギーからの投影

本質的な視点からみると、このような肉体的な存在は、より高次にいる存在のエネルギーの一種の投影であって、しかし投影とはいっても、非常に安定に肉体を低次の世界に存在させるために、いろいろなメカニズムが使われているのです。

存在のためのエネルギーとしても、臓器は臓器であれば、その臓器としてのサブ構造が、ある意味、意識のレベルでも存在して、そのようなシステムが複雑な階層化をなして、肉体ができあがっております。そして、中心には、魂というエネルギー体が存在します。

魂のエネルギーの存在の次元は、これはこれで、中心は、非常に高い次元、創造主である神の次元へとつながっていて、その次元から、より下位の次元へと自分が存在したい形態を自分自身で投影して作り出しています。

難しくいうと、この投影のプロセスで、この存在自体が、複数の次元を貫いて投影されている、つながっている存在でもあるわけで、その上位のところで見ると、全ての存在の合わせあった総合体として、神のエネルギー存在そのものになり、個々の存在は、一つの神の存在でもあり、神の存在の、神の体の一つ一つの細胞のようなものであるという意味において、個性化して、独自の意識、思いを持てるようになっているということなのですね。

この個性化した魂が肉体に宿る時も、自分自身を投影するのに、何段階も、低次の世界に向って、投影を繰り返し、最も物質的な存在の次元にある肉体の表現へと行きつきます。

現実には、実際に意識して、この投影をしているわけではなく、この枠組み自体が創られた段階において、非常に高い次元での創造原理に働いていて、枠組みとして、肉体を有《あ》らしめるシステムができあがっているので、そのシステムに乗って、乗っかって、投影をしているということで、別の言葉で言うと、肉体の中に魂が宿るという見方になっていくのです。

肉体に宿るときには、魂の形態も、周りに何層もエネルギー体をまとうので、これが幽体とか、霊体とか呼ばれることもありますが、存在の次元に、肉体としての存在の次元と、魂としての存在の次元に、大きな隔たりがあるので、その間をつなぐのに、段階的な表現を取っていて、それが何枚もの着物、より低次の衣を一枚づつまとっていっている形になるということですね。

さっきの話で出てきた、チャクラというものは、一つのエネルギーセンターでもあって、いろいろな次元につながっております。それぞれのチャクラに、独自の働きとエネルギーの種類があるのですけれども、一人の体の中においても、これはつながっております。

下のほうのチャクラは、肉体そのものの存在と関係し、上のほうのチャクラは、魂の核のほうにチューニングされていくようになっています。

そして、最初に言っておかなければいけないことは、人間、あるいは、生き物のような存在の多次元構造は、宇宙全体の中で普遍的なものであるということです。

具体的にどのような肉体を選ぶとしても、この構造、生命体を支える、この基本構造は変わらないということです。

変化するのは、一種のバリエーションとしてある、具体的な肉体の構造であって、これは、いろいろなものが許されており、実際、宇宙には数多くの肉体の形態があるのです。人間だけでなく、動物であっても、植物であっても、あるいは、鉱物であっても、基本は同じです。

今、あなたの扱っているパワーストーンとかも、これは、基本的には鉱物のジャンルになりますが、一種の生命体でもあり、意識もあるし、生命エネルギーもあります。よろしいでしょうか？

板野： 肉体に付随する、より高次な表現は、肉体と一体になって存在しているのでしょうか？

S： その通りです。一体となっています。低次の世界のほうから見ると、そのように認識することになると思います。ただ、非常に高次の部分、霊体とかの部分は、一時的に肉体から離れることもできるので、そのような例外的な形態もありますが、その生命体が生きている限りは、物質の肉体と、必ず一体となっているエネルギー構造が存在します。

逆に言うと、そのような状況が維持されていることが、生きている、体が存在しているということに他なりません。

そして、魂の部分、霊体の部分も含めた魂の部分が、体から永久に離れることが、肉体の死を意味します。存在論的にいうと、そういうことになります。

あなたの関心は、物質次元の肉体と、それより少し上の次元の、この肉体を支えている部分の構造がどうなっているかということのようですが、この部分は、これから時代が進むにつれて、次第に明らかになっていくでしょう。非常に精密な世界であるので、全部を細かく、今ご説明することが簡単ではないのです。

要は、大枠で、こういう世界がある、人間の存在の様式は、こういう枠組みの中にあるということが、ひとつの常識、世界観として認められれば、そういう各論の部分を探究していこうという専門家の方たちが多く出てくることになります。

ですから、今は、この一番大事な、世界観、新しい世界観を作っていくことだとお考えください。

このような世界観を作っていくというのが、私たちの以前からの約束であり、私たちのミッションでもあったということです。このために、あなたも含めて、宇宙にいる多くの仲間が、これまで力を合わせてきたということです。力を合わせてがんばってまいりましょう。

今日は、これでいいでしょうか?

板野：わかりました。どうもありがとうございました。

13 科学者の使命

この章の最後に、珍しいメッセージを載せておこうと思う。これはAさんを通じて送られてきたガリレオからのメッセージだ。これは2008年の12月16日に、ファミリーレストランの中の雑音の多い環境で収録された。

スピリチュアル・メッセージとしては異例のジャンルに入るだろう。ガリレオのような方が出てこられることは普通はないからだ。そこでガリレオは非常に重要なことを語っていかれた。ガリレオは地球霊団の中にいる科学系の方である。というか、歴史上で生きたガリレオというだけではない方である。

『我が親愛なるピノ

さきほどから聞いているように、あなたも私もある一つの時代の幕開けがくる時、その価値観の転換、世界観の新たな到来、その時に、その時代の人々の価値観を、物理的、この地上的な側面から、新たな認識、気付きを与えるために、科学者・物理学者として、肉体を持っている使命を神より与えられている者である。

単なる目の前の物理的な物質的な現象の発見だけにとどまってはいけない。そこの地上的な一つの法則、あらゆるルールの後ろには神の理念、神の法則が刻まれている。

そこをあぶり出し、地上的に目に見えるルールを通しながら、神の御心《み》を、神のエネルギーのあり方、ひいては宇宙の愛のエネルギーのあり方を、しっかりと目に見える現実として人々に指し示し、その世界観をもって、新たな人類の次なるステージへと導いていく、そういう使命を持つ者たちである。

私の言ったことも、その時代、そういう時代の教会権力、多くの世界中の人々の認識に真っ向から対立するものであった。しかしそこのところ、私が言ったことを行わなくては、次の人類のステップの世界観の拡大、進化発展というところまで行かれなかったであろう。そのあなた方の今の局面においても同じである。

この世は目に見えぬ霊的なるものを否定し続け、そして我々のエネルギーの本質が大宇宙の愛のエネルギーによって創られ、そしてその愛のエネルギーを発散し表現していくことは、大宇宙の神の本意であるということ、それをこの地上的な現象を通しても、何らかの刻まれている法則、現象を通して明かしてみせる。それが我々のシルバー光線の使命である。そこまで至った発明発見でなければ、我々の水準においての合格点をもらえないものだと思いなさい。

科学的な事象というものは、また神の御心と心情的なもの、観念的なものとは離れているというものではなく、表裏一体のものである。

神の愛の法則は厳然《げんぜん》として物理的な現象として、この三次元の世界に細部にわたって表現されている。そのことを認識し、そのことを人々に明かしてみせる、それが多くの人々、特に目に見えるものしか信じないという即物的な者たちに、目に見えない世界のエネルギーを知らしめること、それがひいては目に見えない霊界の存在を信じさせていくことにもなるであろう。

その方法論において、その段階のものがもう明かされる時がきている。あなたの使命はそこにあるのであると認識し、がんばっていただきたいと思う。

我らは同じ光線、同じ村からの出身である。私が出ている時あなたが私にメッセージを送り励ましてくれた。だからあなたが出た時、私は応援に来たのである。あなたの研究においても真摯《しんし》に励まれよ。そこに我々はいろいろなものたちが来てあなたに助力するであろう』

いかがであろうか。ガリレオという人は、中世の価値観にピリオッドを打って、その後のニュートンに始まる科学の価値観の先鞭をつけた人である。

この時代には、あとコペルニクスとケプラーとデカルトという三人の巨星がいて、四人で一緒に生まれてきて仕事をしたということだろうと思う。四人の中でキリスト教会という古い牙城に切り込んだのはガリレオで、その意味ではガリレオの功績が光っている。

実は、このことをAさんにファミレスで話していたときにガリレオがやってきたのである。

ちなみに、あの世の科学者の村の中での私の名前は「ピノ」というらしい。

この章では、私が目に見えない世界の存在から受け取った、近未来の科学を考えるうえでのヒントになるような話をいくつか紹介した。

宇宙の科学者たちは、地球人の進化を支援するために労を惜しむことはないが、情報を受け取る側に一定の器というか、ある程度の専門知識と認識力が必要になる。そうでなければ、相手に質問をすることもできず、受け取った情報を理解することもできない。

私は「科学を超えて」という本を書こうと思って、２０年以上にわたって、さまざまなテーマで思索を重ねてきたが、その中で目に見えない世界から折に触れて受け取った情報は、ここに紹介した内容の１０倍以上はある。その内容に興味関心のある方は、ぜひ拙著「科学からの存在と認識」をお読みいただければと思う。

第5章

目覚めとは神の子の認識

——形ではなく愛の思いを

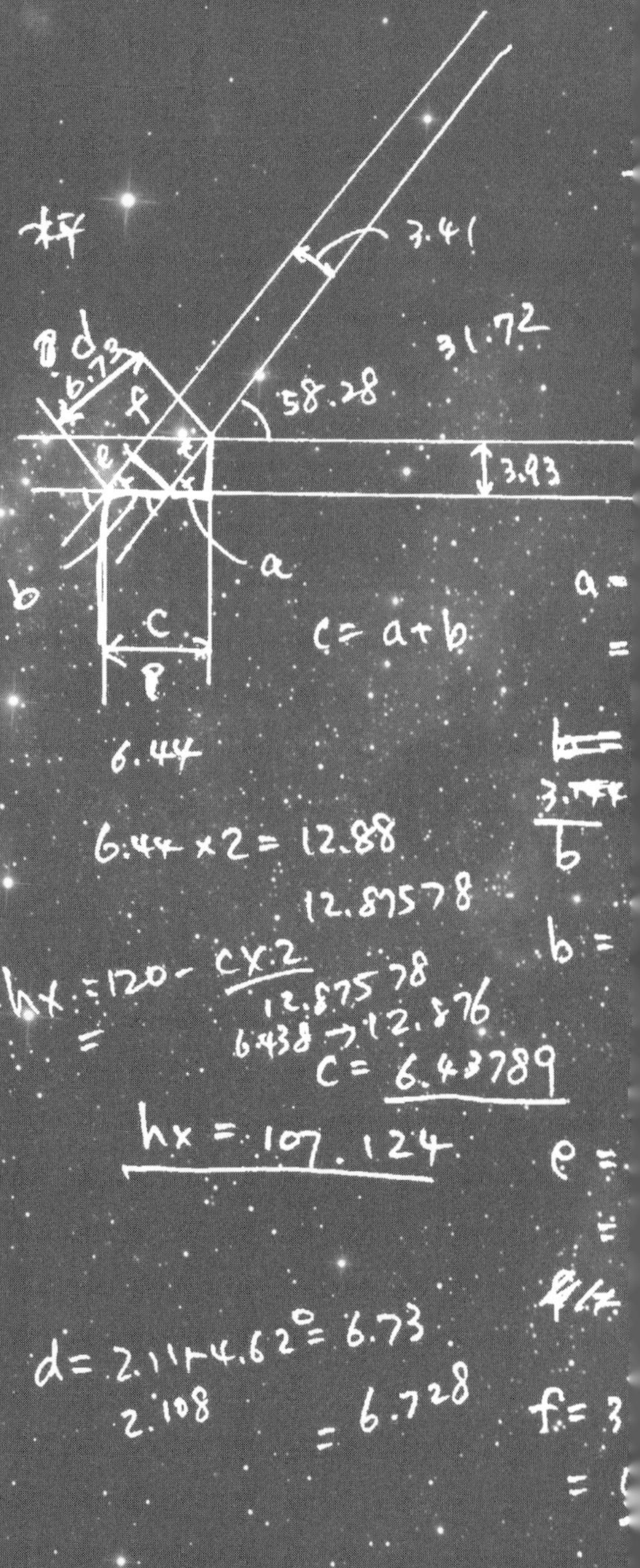

地球を変容させるものは、地球人の霊性の目覚めだ。

それを一言で言うと、地球人の神の子としての認識である。

愛と感謝の思いの中で、神の子としての自己表現ができるような地球人であるかどうかを問われている。

1　魂の進化を促す仕組み

私は「目に見える世界だけが全てではない」ということを折にふれて伝えているが、それは、この世に生きている私たちは、生まれる前の世界がどうなっていたかを覚えておらず、目に見える世界だけが全てのように思い込んでいるからだ。思い込まされているといってもいいかもしれない。

それには一つの目的があって、ゼロからの人生を生きるために与えられたチャンスでもあるのだが、それが逆に足かせとなって、世界観が狭められている。

本当は「私たちの魂は永遠の存在であって、この魂が、物質世界にある肉体に宿って一時的に生きている」という枠組みの中に私たちはいる。

これ自体が、私たちの魂の進化を促すための仕組みでもある。その意味が分かり、本当は私たちの本質は霊的な存在であるということに目覚めれば、今までは見えていなかった多くのことが見えてくるようになる。

2　認識力を上げる共振現象

人類の魂の進化としてのレベルアップ

霊性の目覚めということを何回も言ってきたが、この霊性の目覚めとは、本当は、人間の魂のレベルアップのことを言っている。

周りとの関係で言えば、これだけ物中心の唯物的な世界観が蔓延している中で霊性に目覚めるというのは、ある意味で奇跡のようなことであり、それ自体が普通のことではないので、大成果であると言っていいだろう。

これは、「あなたは、死んでも消えてしまわない永遠の魂を持つ存在である」と言われて、それが「はい、そうですか」と信じられるかということだ。何の物質的な証拠もないし、世の中で権威のある科学者がそれを保証してくれるわけでもない。

もちろん逆もあって、「我々人間の魂などありはしない。あるのは、脳細胞の中での電気的な活性の結果起こっているダイナミクスしかない」と言われて、それをあなたは素直に信じるのかということでもある。こういうことは、自らの直感に頼るしかないところがある。あなたは何が真実だと感じるのかということだ。

物質世界に生まれた時の認識

実は、この物質世界に生まれている時の認識を上げるのは簡単なことではない。全てを失っているからだ。

あの世にいる時に、霊的な世界観を感じうるのは当たり前のことである。しかし、この世にひとたび生まれてしまえば、霊的なものは何も見えない。見えるのは、自分の肉眼を通して見えるこの物質世界のものだけだからだ。

私自身、これまで多くの苦労があった。苦労をしたというのは、この世に生きるということにおいての苦労ではない。この霊的な世界観に、本当の意味で確信を持てるようになるには、紆余曲折があったということだ。

それは、この霊的な世界観を掴《つか》むことが並大抵のことではなかったということであり、このためには多くの知識の断片を継ぎ合わせなくてはならなかったが、知識だけで何とかなる世界ではもちろんない。

そして、今から17年くらい前に出会った、Aさんの存在が大きかったと言えるだろう。ここで私は霊性に目覚めた。私はその時に、自分が存在している意味を悟った。過去二代の転生も知ったし、それにもまして多くのスピリットとつながった。

そしてそこで起こったのは、ある意味での「共振現象」だった。それは私自身の魂の状態を変えてしまったのだ。霊的に覚醒したと言ってもいいかもしれない。

だから私は自分でも、自分が何でも分かっているとは思っていないが、たとえつたないことであったとしても、自分で体得した感覚というものを伝えたいと思っている。そしてそれは知識としてだけでは伝えられない。

アセンションは霊性の目覚めが前提になるが、本当に霊性に目覚められるかどうかは簡単なことではないし、これは知識だけでは何ともならない。何がしかの共振的な感覚として、霊的に伝わるエネルギーのようなものを感じて、自ら悟っていただくしかないところがある。

愛の量の問題

カタカムナでは「アワ量」ということを言うが、魂の力量というようなものがあって、これがないと認識できないことがある。アワ量というのは、その人の認識能力でもあり、影響力でもあり、情熱でもあり、愛の総量のようなものでもある。

命懸けで行う思いの強さの根源のようなものと言ったらいいだろうか。そしてそれは自己満足のために行うものでは決してない。非常に謙虚になれるようなところのあるものだ。

謙虚になれるというのは、ものすごい実力に根差しているものでなくては、そうはならない。自信がないと劣等感にさいなまれるか、自己顕示欲が強くなって不安定化することが多い。それは魂の中の愛の量、アワ量が不足しているのだ。

3　全ての人が主人公

アセンションについて

地球人の中で、アセンションの前提となっている目覚めが、特に必要とされている対象者は、最近になって宇宙からやってきた方たちではないだろう。最近来た方たちは、地球のアセンションの文脈では、サポーターに当たる。

本当に目覚めないといけないのは、古くからいる人たちだ。それと、地球で創られた魂たちだろう。特に古くからいる方々というのは、もともとアセンションしている星からやってきた人たちであって、この星にくる前のことを思い出せばいいだけだ。だからそんなに難しいことが問われているわけではないはずだ。だがあまりにも長い時間この星の文明の中で生き続けてきた結果、全てを忘れてしまっているかもしれない。

逆にこの地球で新たに誕生した魂の場合には、どこまで目覚めるかという問題はあるが、それでもそんなに難しいことが問われているわけではない。

そういう魂の古さとか新しさということがあるにせよ、要するに目覚めるかどうかは本人の問題であって、そこに何か敷居があるわけでもない。だからこれは、最後はその人自身の問題になる。全ての人に等しく機会が与えられているのだ。

未来の可能性

前にも触れたが、地球がこれからデュアル・モードの星になる場合、アセンションした物質世界と、アセンションをしない今までのままの物質世界の両方が同時に地球上に存在することになる。そしてこの時にこのどちらの世界を選ぶのかが問題になる。

素人目には、もちろんアセンションしたほうの地球に行きたいと思う人が多いのかもしれないが、話はそれほど単純ではない。

アセンションした世界に行くことが最終的な目標なら、なぜわざわざ地球のようなアセンションをしていない原始的な星に、アセンションしている宇宙の星からやってきたのかということである。わざわざ地球に来なくても、元いた星はアセンションしていたのであり、地球に来る必然性が見えてこないことになるのではないだろうか。

実は、ここに秘密がある。地球にわざわざやってきたことの意味を考えてみる必要がある。そして考えられる理由は二つあり得る。一つは、アセンションしていない星で、非常に多くの力のあるものが集まって生きているところで生きてみることに価値を見出している可能性だ。もう一つは、そういう星で頑張ってアセンションまで持っていく体験のプロセスから得られるものを狙っている可能性だ。そしてこれらは今現在、大宇宙の中で高度な進化をしている星では実現できない環境であるということはすでに述べた。

この二つの理由は、それぞれ別の人たちが持っているインセンティブかもしれない。何種類かの異なるインセンティブを持っている人たちが地球に同居しているという可能性を示唆している。今の文明の中ではこれは隠されてはいるが。

だからもし地球の今のアセンションしていない状態の物質世界に生きることに意味を感じている宇宙人がいるとしたら、そういう人たちは、将来アセンションしていないほうの地球を選ぶことになり、その場合は既存の文明の痕跡を一度全てリセットしてから、ゼロからスタートすることになる。

アセンションしている世界を選ぶ人たちは、ゼロからのスタートというところに拘《こだわ》っているわけではないので、既存の文明のところから移行するのでもいいだろう。ただ文明が急速に進化していくと、いずれにしても表面的な文明の表現はかなり変わっていく可能性はある。これは、宇宙に出て行けるような文明、あるいは宇宙連合に加盟することのできるような段階を意味していて、かなりの違いがある。

そしてこのどちらを選ぶのかは、地球で何をしたいのかによる。

4　神につながることで得られる本当の自由

ボストンでのできごと

「霊性の目覚め」とは、根源的な存在とつながることで得られる真の自由を、一人ひとりが自覚的に行使し、この物質世界に「本当の自分」を表現することだと言い換えることができる。これは、かつてエマーソンやソローが超越主義の運動で目指した精神そのものなのだが、残念なことに、アメリカではこの核心部分の理解が失われてしまった。

エマーソンやソローが暮らしたボストンは、アメリカの東海岸の文化の拠点のようなところで、有名な大学や美術館がいっぱいある。ある種の学園都市と言ってもおかしくはないような場所だ。それだけではなく、アメリカの独立にも関係がある場所である。

実は、今から二十年以上前、コンピューター関係の国際会議に参加するために、このボストンに行っていた時に、私は不思議なメッセージを受け取った。

誰かからの物理的なメッセージというわけではなく、私自身が直接に感応したスピリチュアルなメッセージである。

誰からのメッセージであるかは分からなかったが、直接私の心に語りかけてくる存在がいた。ボストンに行ったのは、生まれて初めてだったのに、こういうメッセージが来て、私としては正直言ってびっくりした。

この時の状況を少し詳しく書いておくと、この時期というのは二〇〇七年の八月九日のことである。私はコンピュータのセキュリティ関係の会議でボストンのダウンタウンのプルーデンシャルセンターの近くのコロネイドというホテルにいた。ここがカンファレンスホテルだったからだ。

午前のセッションが終わって、お昼休みになり、気分転換にと思ってホテルを下りて、近くのプルーデンシャルセンターのショッピングモールを一人でぶらぶら歩いていた。

ここはボストン有数のモールの一つで観光客も多いし、地元の人も多い。人通りは激しいほうである。そういう中でなぜか、誰かに話しかけられているような気がしたのである。だから、近くのベンチに腰掛け、持っていたノートパソコンを開いた。

当時の私のスタイルというのは、ネットワークにつながっているノートパソコンをいつでも持っていて、それを開けば、ネットワークを検索できるし、自分で思いついたことは、何でも即座にコンピュータに記録できるようになっていた。

これがちょうどお昼の十二時二十四分だった。それから、心の中に浮かんでくることを打ち込んだ。自分の思いを日本語にするのか英語にするのかは微妙な問題なのだが、この時は日本語を選択した。

伝わってくることと、それを言語化するのはまた別のことで、この時の素直な感じというのは、誰かが話しかけているというものではなくて、自分で思いついていることを自分で書いているような感覚である。だが、そんなことを書いていいのかなあというような内容もあったので、少し緊張感があったのも確かである。

日本語で入力するということになると、かな漢字変換をしないといけない。途中休みなく、最後まで一気に書き上げ、終わった時に時間を見たら、十三時四十七分で、いつの間にか一時間以上が経っていた。そんなに時間が経っていたとは思っていなかったので意外だった。

こういう時は、意識は集中しているが、自分の思いを出してはいけない。出すとそこで切れてしまうからだ。疑問をさし挟んでもいけない。疑問をさし挟んでしまうと、相手の思いを中断し否定することになる。だから終わるまでは、一気に書くしかないのである。

後で見たら、メッセージの全文は、日本語で合計三四八三文字で、妙に完成度が高く、後で添削して直す必要がない文章だった。

次の節に載せてあるのは、ほぼ原文のままの文章である。これはある意味スピリチュアルな体験であり、多くの人にはその意味が分からないかも知れない。「語りかけてくる」と言ったが、耳から声が聞こえるのではない。心の中から浮かんでくるような感じがする。

皆さんも、自分で考え事をする時に、これはどうなんだろうと思い、つぎに、こうかもしれないと自問自答するようなことがあるのではないかと思う。この自問自答のような感じでもあるのだが、この答えの部分が、一つの話として連続的に上がってくるのである。

私は口で話すよりは、文章を文字として書きつけるような形態のほうが自然な感じがする。このメッセージを送ってくれた方が誰なのかは分からない。本人が誰なのかを名乗らなかったからだ。まあ、名乗ったからといってそれが本当であるかどうかを証明する方法はないので、意味があることかどうかは分からない。

選択の自由が持つ根本的な意味

心を落ち着けなさい。あなたは、今ここボストンにいて何を感じているでしょうか？　私の名前は今は明かせないが、私はこの地上に生まれた時、ここボストンにおいて活躍していたことがあります。

なぜボストンかと言えば、これは、地上に自由という概念、本当の意味で、人間に自由の持つ意味を教えるために、その方法として、このアメリカという国が選ばれました。そして、私はこのアメリカの建国に関わり、アメリカの礎を築くことに協力してきたものの一人であります。

アメリカにおける文明というか、文化というのでしょうか、これは、このボストンから始まったといっても過言ではないでしょう。そのような意味があるのです。

この国には、そうですね、ヨーロッパにおいては、いろいろとキリスト教であるとか、ユダヤ教であるとか、また、中世から多くの民族と国がひしめきあい、自分たちの領土であるとか、権力とか富をかけて戦いが続き、また特にキリスト教の持つ世界観が人びとの心を縛ってきてしまったということがあります。

ルネッサンスを通じて、過去の価値観から人間を解き放ち、人間の心をもっと自由に、本来人間というのは、本当に自由になった時にどうなのかということを、このような方向性を突き詰める必要がありました。ですから地上の価値観はどうしても、本来の神の価値観を表現できないために、どうしても形で心を縛っていくということがあるのです。

そこで、人間の心を一度、宗教的なものや文化的なものから開放する必要があったのです。ジャンヌダルクが、その純粋な心において、信仰心を通して、既存の人間的なしがらみ、この世の権力や富、このようなもののしがらみで、しみのついてしまった文化や社会に対して、本来の人間の心が神につながることにおいて、本当の自由があることを示されたということで、ある意味では、これが自由の女神の原型となっていることは知っていらっしゃるでしょう。

そして、この次の段階として、新天地、このアメリカにおいて、自由を一つのテーマとして、一つの文化を創っていってみようと計画されたということです。

本来、人間の魂には自由が与えられているのです。本当の意味の自由ということですよ。自由というと、すぐに人を害する自由とか、自分だけのエゴイズムを心配するあまりに、自由の中にある本質的意味を見失いがちであるように思います。

ただですね、この自由ということも、根源なる神の持つ完全性の中の一部だということを忘れないでいただきたいと思うのです。

もともと、単体で存在するものではないのです。一即多《いちそくた》、多即一《たそくいっ》ということがあると思いますが、この根源なる神の属性というか、力の性質、光の性質、愛の性質の中に内在されているものの一つがこの自由であって、根源なる神の愛のエネルギーの中で、どのような自分自身を展開できるか、これは自由がなければ成立しません。

そもそも、根源なる神のエネルギーから、その分身として、人間の魂というか、霊体が創られていること、あくまで自分の意思で生きていくことができること、選択ができること、間違った選択もできるということ、これが、この世界のダイナミズムを生み出すために必要であるのです。その上であなた方はどうしたいのかということなのですよ。

これは、皆さんが、そして、あなたが、どう自分の選択として選んでいくかということであり、ここのところは、ゆめゆめ間違えてはならないのです。

この自由が、自由に選択できることが、この力というか能力が与えられていることが、神の子であることの根本的証明の一つであるのです。神が自分に似せて、人間の魂を創られたということなのですよ。

このことに感謝しなくてはなりません。このことがあるから、喜びがあるのです。まあ試行錯誤ということはあります。間違った判断もあります。まあでも、それでよいのですよ。間違った判断があれば、後で反省すればいいし、また人生をやり直すチャンスが与えられているということです。長い転生の過程の中で、色々なことを通しながら学んでいくところから、深みが出てくるということです。

成功ばかりの人生や、一個の失敗もない人生だとしたら、どこが面白いでしょうか。まあ、いろいろ間違いがあり、失敗があり、場合によっては、地獄に行って反省というのも、これも一つのプロセスです。これを統合して、どれだけ幅が広がり、深みが出てくるか。別の角度から言うと、多くの失敗や挫折があるから、それを経験して、通り越えるということがあるから、人の苦しみや悲しさが、本当の意味で感じられるようになるということです。

怒りを感じたことのない人に、怒りの意味が分かるでしょうか？　人の心には多くのマイナスの感情があります。でも、これがどういうものか学習することが必要な時期もあるのです。その結果、今があるということ。ですから、この自由にも、その人間を存在させている根本的な理由がそこに内在しているのだということです。

そのような観点で人を見れば、もっとゆとりのある見方、裁きの思いから離れることができるのではないでしょうか？

これからは、多くの人に、何が真実なのか伝えていかないといけない時期になってきます。真実のことだから、だれにでも分かるというものではないのです。それほど甘くはないし、人はそれぞれ、その魂の発展の段階があります。従って、大らかな思いで、これを包んであげる必要があるのです。

さて話を戻して、アメリカという国ですが、これはこの自由をキーワードにして文明というか文化を創っていくことを目標にしていたために、既存の文明の存在していないところでやってみることになりました。

既存の概念というか、過去のしがらみに縛られないことは、これは新しいものを生み出していく時には重要なことなのです。自由に付随した要素として、発展がもう一つのキーワードとなりました。このため、光明思想ですね、天之御中主の神さまのご協力もいただいて、エマーソンが説いた発展の思想というのがあると思います。

これは、人々、アメリカの人々を啓発していく、一つの教育していく時の方法論の核となっていきます。このような思想がこの東海岸、特にボストンの地で、種が蒔《ま》かれたということです。ニューソートと呼ばれますよね。新しい種類の考え方ということで、ルネッサンスにおける人間の精神の開放をさらに推《お》し進《すす》めたのですね。これがその後のアメリカの精神的なバックボーンになっていきます。

ただ残念なことに、アメリカも物質的な豊かさが得られるにつれて、非常に即物的な面が強くなっていってしまう。自由の精神をバックボーンにして、科学が発達し、豊かさが手に入るにつれて、精神的なものが失われてしまったということは、大変残念なことだと思います。もう一度取り戻さないといけないのです。

この精神的な価値観の背後に何があるかということを、真実の目でもって見出さないといけないのです。古き良き時代のアメリカの価値観は、これはこのボストンを基点として蒔かれた種が花開いたということでもあるのです。

アメリカは、今とても悩んでいるのですよ。何を理想としたらよいか分からなくなってきているのです。アメリカの中にはいろいろなものが共存しています。これを十羽一《じゅっぱひと》からげのように見てはなりません。

アメリカの中の良き部分を見なさい。あなたにはそれが分かるでしょう。ここが、これからの起点の一つになることでしょう。今日は、天界の協力もあって、ボストンの空には素晴らしい雲が描かれました。

根源なる神の意思が地上に満ちることを祈念して、私のメッセージを終わることとしたいと思います。これからは、全ての霊人と地上に生まれている光の天使たちが手を取り合って、仕事を推し進めていかなくてはなりません。

このボストンを起点に神の意思が地上に満ちることを、そして、私のメッセージがあなたに伝えられたことを神に感謝したいと思います。

これからは、科学ということだけではなく、あらゆる面での活躍をしていただけるように希望しております。私が必要な局面がまいれば、いつでも協力したいと思っていますので、心を強くし、活躍をしていただけるようお願いします。今日は、これで終わりとしたいと思います。どうもありがとうございました。

5　宇宙時代の地球人へ

イルカも妖怪も龍も、人間の姿とは違う。異形《いぎょう》と言えば異形だ。

今の地球人は、姿を見て、それが何者かを判断しようとする。見た目が自分たちと違えば、仲間だとは思えない。

もちろん人間の姿をしているだけで仲間であると言えるわけではない。もっと言うと、肌の色や髪の色や目の色が違うと、異邦人のような感じがしてしまう。

だが本当にそうなのか？　そんなことでは宇宙人に対峙することなど到底できないだろう。

私たちは、イルカを見るとしても、それを魚の延長のようなものにしか見ることができない。

そうすると、イルカを殺しても、それは大したことにはならないだろう。クジラもそうだ。イルカのような動物に、高度な知性や霊性が備わっているなどということは想像できない。

人間というのは、表面の姿形ではなくて心が大事なのであり、思いにどれだけの愛があるのかということに本質がある。

イルカはイルカではなくて、人間かもしれない。ヒューマノイド型の姿形を持っているだけの存在が人間なのではなくて、宇宙的な尺度で言えば、一定以上の精神性を持つ魂が宿っているのが人間なのである。

これが人間の定義だ。だから、思いが本質的であることに気付けるかどうかが問われている。『目に見えないからといって、それがないとは言えない』というのは、こういうことを言っている。

答えは内面にある。外にあるわけではない。ワクワクは内にあるのだ。

ハイヤーセルフにつながること、ハイヤーセルフを通してさらに上につながっていくということ、これは自らの心の内側を通して行うことだ。決してこれを外に求めてはならない。

これができるかどうかが、人類の課題である。ワクワクの意味を勘違いしてはいけない。それは霊性の目覚めの意味がそこにあるということだ。

ここで、以前木花咲耶姫《このはなさくやひめ》様から頂いた和歌をここに掲載させていただこうと思う。

『人は皆智慧をば外に求むれど
内なる社《やしろ》の中に眠りて』

『一人立つ我をはげますかげありて

内なる声に心澄《す》ませて』

恐れを克服することが大切だ。恐れがあるというのは「セルフラブ」から来ている。これと対極にあるのが愛であり、真の強さはどこから出てくるかというと、それは自分が神の子であることを確信するところから出てくる力であり、力は外にあるのではない。内にある。

それと、謙虚さや、感謝や、楽しさという自然な気持ちがワクワクであり、ワクワクは恐れに打ち勝つ力でもある。どのような苦難が押し寄せようとも、愛と感謝をこめて、楽しく生きることが大事なのである。カタカムナの言葉で言うなら、これがトワのサトリであり、マノスベの極意ということになる。

おわりに

この本は、本来の科学である「霊性に裏付けられた科学の原理」を、分かりやすく伝えるために書いた。

霊界にいる科学者たちから、私が個人的に受け取った、進化した宇宙レベルの科学の原理を、読者の皆さんと共有することを目的としている。

そのアウトラインを簡単に言うと、地球人の霊性が開けた時に、星としてのアセンションが起こり、地球の物質次元の表現が変化する。同時に人間の意識を縛る制約がなくなり、自己を自由に物質次元に投影できるようになる。進化した人類は、霊的世界から宇宙エネルギーを引いて、宇宙船を動かすエネルギーとして使えるようになる。これは今の時点では一つの夢物語にすぎないが、アセンション後の科学は、一種の悟りと結びついている。

目に見える物質の世界と目に見えない霊的な世界というのは、全く別のところにあるのではなくて、表裏一体のようなところがある。そして、この世界自体が根源的な愛の存在によって生み出されたものであり、私たちが神の子であるというのは、根源的な愛の存在のエネルギーを引いているということである。だから根源存在が創られた世界を探究するということは、私たち自身の探究でもあり、私たちは、この無限の探究の中にいるのである。これが自覚できるか、認識できるか、あるいは感受できるかということだ。

霊性の目覚めなしに、科学が進んでいくことはあり得ない。ただし、この目覚めは、知的な理解を超えたものであり、会得するには、魂と魂の深い共振が必要となる。

この本は、私が折に触れて書いた、アセンションや霊的な世界観についてのエッセイをまとめたもので、同じテーマが違った切り口から繰り返し出てくる。何度も読むうちに、この本自体が、高次の世界にいる多くの仲間たちとの共振作用の媒体となって、目に見えない世界をより身近に感じるようになることを期待している。

目に見えないからといって、それがないとは言えない。

地球人の全てが、このことが常識だと思えるように早くなってほしいと思っている。

本書が、霊性と科学について、読者の皆さんの理解を深める一助となれば幸いである。

令和六年四月

筑波大学名誉教授

板野肯三

板野　肯三
Itano Kozo

1948 年岡山生まれ。東京大学理学部物理学科卒。理学博士。専門はコンピュータ工学。筑波大学システム情報工学研究科長、学術情報メディアセンター長、評議員、学長特別補佐等を歴任。現在、筑波大学名誉教授。自然や科学全般に幅広く関心を持って活動し、研究室で一粒の種から 500 本以上の茎を出す稲を育てた。ソロー学会の会員でもある。YouTube 動画「超植物チャンネル」「サイエンス・ビヨンドチャンネル」「スピリチュアル・ビヨンドチャンネル」を好評配信中。

地球人のための超科学入門 ― 光の存在が語る知られざる宇宙科学の原理

2024 年 6 月 10 日　初版発行

著者　板野 肯三
©Itano Kozo

発行者　高橋 敬介
発行所　アセンド・ラピス
〒 110-0005 東京都台東区上野 2-12-18 池之端ヒロハイツ 2F
TEL : 03-4405-8118　email : info@ascendlapis.com
HP : https://ascendlapis.com

装丁・本文 DTP　小黒タカオ
印刷・製本　株式会社シナノパブリッシングプレス

本書の一部または全部を無断でコピー、スキャン、デジタル化等によって
複写・複製することは、著作権法上の例外を除き禁じられています。
ISBN978-4-909489-09-8 C0010 Printed in Japan